군대에서 자기계발하기

군대에서 자기계발하기

발 행 | 2024년 1월 9일
저 자 | 이태화
펴낸이 | 한건희
펴낸곳 | 주식회사 부크크
출판사등록 | 2014.07.15(제2014-16호)
주 소 | 서울특별시 금천구 가산디지털1로 119 SK트윈타워 A동 305호
전 화 | 1670-8316
이메일 | info@bookk.co.kr

ISBN | 979-11-410-6353-5

www.bookk.co.kr

군대에서
자기계발하기

차례

프롤로그   6

나 지금 어디로 가고 있지?   11

어쩌면 내 운명일지도 모른다   15

두 마디에 내 운명이 정해졌다   19

잘할 수 있는 게 충분히 많은데   25

노란 견장 이등병의 대대장 면담   31

군인 머리는 누가 깎아 주나요   35

자기계발러를 꿈꾸는 이등병의 새로운 희망   39

부대 동아리 활동과 스카우트   44

누구나 그럴싸한 계획을 가지고 있다   49

이틀 줄게 영상다오   54

야간 경계 근무 중에 알 수 없는 소리가   60

내가 읍내로 나올 수 있었던 이유   67

군대만 아니었다면 미라클모닝이겠지   73

군대에서 책 100권 읽고 얻은 건   81

독서의 관점을 확장하라   86

자기계발 시간이 얼마나 될까   94

비록 지금 힘들고 아쉽더라도   100

일을 잘 하면 일을 더 한다고   104

변화를 꿈꾼다면 스스로 변화가 되어라   112

군대에서 태권도 1단을 딴다던데   118

상담병을 하며 아쉬웠던 건   129

이발병을 하며 잃은 것과 얻은 것   134

어떻게 하면 군 생활을 줄일 수 있을까   142

과연 사단장 표창을 받을 수 있을까   150

탄피가 사라졌다   159

내가 받은 휴가를 분석해 보니   167

이렇게 군대 이야기를 쓸 수 있는 건   174

곰신-군화 커플의 결말   181

이해할 수 없는 인간을 이해하려면   189

군대, 스펙은 안 돼도 스토리는 된다   194

에필로그   201

프롤로그

나는 특수부대원이 아니다. 대단한 특기병으로 입대한 것도 아니다. 장교 역시 아니다. 휴학 후 남들과 다를 바 없는 육군 일반 소총수로 입대했다. 그러다 사소한 이유로 대충 분류되어 예상하지 못했던, 아니 오히려 싫어하기까지 했던 일을 맡게 되었다. 그것도 여기는 아니었으면 했던 곳에서.

평범하게 입대해 기대와 달리 꼬여버린 군대. 이것이 내 군 생활의 시작이었다.

그럼에도 그 끝과 이후는 평범하지만은 않았다. 평범하지 않다고 말하는 건 사회에서 인정할 만한 대단한 성과를 내었기 때문일까? 검정고시에 합격했거나 전문 자격증을 취득하기라도 했을까? 묵혀둔 주식이 대박 나서 전역하자마자 경제적 자유를 누리기라도 했을까? 아니면 간첩이라도 잡았나?

아니다. 모두 아니다. 결코 그런 화려한 무언가를 남기고 오지 않았다.

다만 입대 전에 세웠던 커다란 개인 목표들을 모두 달성할 수 있었고, 군에서의 경험을 바탕으로 사회에서 여러 기회를 얻을 수 있었다. 부수적이지만 당시 우리 부대에서 가장 많은 포상휴가를 받은 사람 중 한 명이기도 했다.

다 값진 성취다. 그러나 제일 중요한 건 따로 있다. 다시 돌아간들 그 이상 해낼 자신이 없을 만큼 주어진 기간에 최선을 다했음을, 나 스스로 알 수 있다는 것. 지난 과거를 돌아봤을 때 크게 아쉬움이 남지 않을 만큼 내 삶에 충실했음을 느낄 수 있다는 것. 이게 군인 시절의 내가 인생 전체의 나에게 전해준 가장 크고 고마운 선물이다. 삶이 그러할 수 있음을, 내가 그렇게 살아갈 수 있음을 보여주었기 때문이다.

군대에서의 시간이 나에게는 그렇다. 타인에게는 몰라도 나에게는 군 생활이 그러한 의미를 갖는다. 비록 의무적으로 간 군대에서 원하지 않는 생활을 했어도 말이다.

앞으로 이야기할 나의 군 생활은 결코 정답이라 말할 수 없다. 내가 타인의 군 생활을 따라 할 수 없듯, 타인 역시 나의 군 생활을 따라 할 수 없다. 애초에 따라 할 필요도 없다.

시기도 사람도 상황도 모두 다르다. 그저 각자의 군 생활이 있을 뿐이다.

그럼에도 이렇게 개인적인 군 생활을 기록으로 남기는 건, 입대할 당시의 나에게 이런 이야기가 필요했기 때문이다. 어차피 흘러갈 복무 기간을 이왕이면 알차게 보내고 싶어 고군분투했던 누군가의 이야기, 제한된 조건 안에서도 성장하기 위해 삶에 충실했던 누군가의 이야기, 힘들고 지친 나날의 연속이겠지만 그럼에도 원망과 한탄만 하지 않고 결국엔 발전하는 방향으로 나아간 누군가의 이야기, 먼 나라 이야기도 소수에게만 해당하는 특별한 부대도 아니기에 오히려 와닿을 수 있는 평범한 누군가의 이야기. 대한민국 20대 초반의 나와 별반 다를 게 없는 그런 어느 장병의 이야기, 그런 이야기에서만 공감하고 느끼고 참고할 수 있는 무언가를 원했기 때문이다.

앞으로의 글들은 지극히 주관적이다. 엊그제의 이야기도 아니다. 이런 한계에도 글을 쓰는 자의 입장에서 조금의 욕심을 내자면, 이왕 군 생활을 하는 김에 후회 없이 알차게 다녀오고픈 분들에게 내 이야기가 조금이나마 도움이 되었으면 한다. 내 고민, 생각, 경험들이 좋은 의미에서든 그 반

대에서든 각자의 군 생활을 더욱 의미 있게 만드는 데 도움
되는 작은 아이디어, 공감, 위로, 용기로 작용하길 희망한다.

　욕심을 조금만 더 부리자면, 소중한 이를 군대로 보낸 사
람들에게도 도움이 되었으면 좋겠다. 어떠한 의미에서든.

나 지금 어디로 가고 있지?

함께 버스에 탄 사람들이 하나둘씩 사라졌다. 창밖의 건물들은 점점 쌀쌀한 논밭과 산으로 대체됐다. 그럼에도 내가 아직은 사람 사는 곳을 지나고 있음을 인식할 수 있는 건, 띄엄띄엄 스쳐 가는 단층짜리 낡은 건물과 좁은 도로 옆으로 이어진 검은색 전깃줄 덕분이었다. 그러나 실제 사람은 보이지 않았다.

나는 내 상체만 한 짙은 녹색 가방을 안은 채 버스 가장 뒷자리에 앉아 있었다. 갈수록 버스 안도 바깥도 모두 휑해졌고, 내 시야 속으로 들어오는 전경은 그렇게 점점 건조해졌다. 나는 물끄러미 이 과정을 모두 바라보고 있었다. 조용히 바라보는 것만이 내가 할 수 있는 일이었다.

그렇게 한참을 달렸다. 좁은 시골 도랑 위에 지어진 다리를 건너는 순간, 어느새 썰렁해진 버스는 속도를 줄인 채 좌

측으로 길을 틀었다. 우중충한 철제 바리케이드를 지그재그로 지나고 흙길 위로 먼지를 잔뜩 날리고서야 드디어 버스는 멈췄다. 나는 직감했다. 이제는 내가 내릴 차례라는 걸.

그렇다. 나는 신병이었다. 이제 막 자대에 배치된.

누군가가 나를 데리러 왔다. 누가 되었든 어쨌든 나보다 계급이 높을 게 분명하다. 어떤 상황에도 빠르게 대처할 수 있도록 온몸의 근육에 작은 긴장을 주고 모든 감각을 열었다. 그는 나를 데리고 옛날 군대 드라마에서 볼 법한 단층짜리 우중충한 건물로 들어갔다. 몇몇 내용을 확인하고 물어보더니 잠시 앉아 있으라고 했고, 얼마 지나지 않아 다시 또 누군가가 나를 찾아와 다른 건물로 데려갔다.

'아. 설마. 진짜?'

사실 아까 버스를 타고 들어오면서, 여기가 내 근무지가 될 것 같다는 생각에 최대한 주위를 관찰했다. 벌써 정찰 임무다.

그때 다른 건물들과 결이 다른 이상한 창고 같은 게 눈에 들어왔는데, 지금 내가 그곳을 향하고 있었다. 설마설마하면 보통 현실이 되지 않나. 예외가 있길 바랐으나 그 예외가 지금은 아니었다. 연탄 창고를 개조한 생활관. 군대 이미지를 위해 옛날 군대 드라마에서조차 보여주지 않을 법한 이 건물이 앞으로 내가 근무할 곳이었다.

앞서 방문한 건물은 비록 낡긴 낡았어도 최소한 한 건물 안에서 기본 생활이 가능했다. 하지만 내가 들어온 여기는 뭔가 만화 속 해적 집단의 임시 거주지 같았다. 개조한 연탄 창고만으로는 기본 기능을 해결할 수 없어 이를 마주한 곳에 자그마한 컨테이너 행정실을 놓아두었다. 옆에는 시멘트로 급조한 듯한 외부 샤워실이 있었고, 그 뒤에는 플라스틱 재질의 1인용 이동식 간이 화장실 몇 개가 덩그러니 놓여 있었다. 알고 보니 같은 부대 안에서도 일부만 이 구조물 무리에서 살고 있었고, 나는 또 기가 막히게 여기에 배치된 것이다.

행정병으로 추정되는 사람이 나에 대한 몇 가지 내용들을 확인했다. 이제 막 일과가 끝난 걸까. 몇몇 병사들과 간부들이 들어오며 취조당하듯 긴장하고 있는 나를 힐끗 쳐다봤다. 점점 관심을 두고 접근하는 사람들이 늘어나더니, 그 사이를 뚫고 웬 햇빛에 잔뜩 그을린 듯한 피부에 살집이 있지만 몸이 단단해 보이는 한 사람이 다가왔다. 그는 걸걸한 목소리로 내게 물었다.

"축구 잘하냐?"

입대하기 전에 여러 차례 들었다. 군대 가서는 함부로 나서거나 잘한다고 말하면 안 된다고. 그렇다고 해보기도 전에 못 한다며 발 빼는 것도 A급 신병의 자세는 아니지 않나. 입대하기 전에 수차례 들었다. 너무 나대도 안 되지만 뒤쳐져서도 안 된다고. 그렇다면 어떻게 반응해야 하는가.

잘한다고 하면 무모할 것 같고 못 한다고 하면 패기 없을 것 같은 상황. 0.5초 사이에 떠오르는 온갖 생각들을 뒤로한 채 나는 답했다.

"잘하진 못해도 좋아합니다!"

그러자 그 뒤를 기세 있게 이어 들어온 누군가가 앙칼진 목소리로 말했다.

"군대에서 좋아하는 게 어딨어? 잘해야지."

뭐가 뭔지는 모르겠지만 어쨌든 나는 지금 여기 이 사람들에게서 도망갈 수 없었다. 그렇게 내 본격적인 자대 생활이 시작됐다.

어쩌면 내 운명일지도 모른다

입대하기 전 나에게는 두려움이 있었다. 소중한 사람들과 떨어지는 것은 기본이다. 그 외, 20대 초반의 2년이라는 인생에서 귀한 시간을 군대에서 보낸 뒤, 혹시 바보가 되어 돌아오면 어떡하나 싶은 불안함이다.

사람들이 말했다. 군대를 다녀오면 바보가 된다고. 초중고를 거치며 그렇게 애써 공부했던 내용들을 다 잊어버리고, 머리는 굳고 오히려 이상한 군대 문화만 배워 오고. 그렇게 완전히 제로(0), 아니 오히려 마이너스(-)에서 다시 시작해야 한다고.

전역하면 난 대학 3학년으로 복학해야 했다. 공학을 전공했는데, 공대 특성상 3학년 수업이 가장 어렵고 부담된다. 게다가 1~2학년에 망쳐 놓은 학점도 메꿔야 했고. 스펙도 잔뜩 쌓아서 취업에 대비해야 했다. 가진 게 없는 나로선, 어쩌면 사회에 진출하기 바로 전인 이 나이대가 역량을 기르고 경쟁력을 쌓기 위한 가장 중요한 시기였다. 그리고 신체적으로 가장 건강할 때 아닌가. 자신의 꿈에 도전하기 좋은, 아니 자신의 꿈에 도전해야만 하는 시기다.

그렇다고 군대를 피할 생각은 없었다. 애초에 피할 방법도 없다. 대신 어차피 해야 할 군 생활이라면 최대한 내게 이롭게 활용할 수 있는 방법을 찾고자 했다.

나에겐 그 방법이 '카투사'였다. 주한미군에서 근무하는 것이다. 카투사를 생각한 이유는 딱 2가지다. 영어와 개인 시간.

영어를 잘해서가 아니다. 오히려 내 가장 아쉬운 점이 영어였기에, 카투사에 가기라도 하면 설령 군대에서 욕을 배워 오더라도 일단 영어로는 배워올 수 있을 거라 판단했다. 그리고 개인 시간도 중요했는데, 비록 2년이라는 기간 동안 군 복무를 할 수밖에 없더라도 최대한 개인 시간을 확보해 자기계발에 투자하고 싶었다. 군대인 이상 어딜 가더라도 만족할 만큼의 개인 시간을 가질 수는 없겠지만, 그래도 카투사는 다른 부대에 비해 비교적 개인 시간을 보장해 주는 분위기라고 들었다. 카투사에 갈 수만 있다면, 2년 후 플러

스(+)는 아닐지라도 최소한 바보가 되어 오진 않을 것이다.

　카투사에 지원하려면 일단 어학 점수 요건을 충족해야 했다. 그중 하나가 당시 기준으로 토익 700점이었다. 나에게는 아직 어학 점수가 없었다. 부랴부랴 테스트를 해보니 기준 점수에 몇백 점이 모자랐다.

　인생 처음으로 토익 문제집을 샀고 학교에서 제공하는 모의고사도 보며 공부했다. 당연히 영어 실력이 단번에 늘 일은 없다. 대신 시험을 잘 볼 수 있는 요령이라도 익히기 위해 노력했다. 수능 공부로 인해 흥미를 잃은 영어지만, 당장 내 군 문제가 걸린 일이기에 어떻게든 공부할 수밖에 없었다.

　TV 속 오디션 프로그램에선 지원자의 무대 밖 사연이 평가에 좋은 점수를 주기도 한다. 토익은 달랐다. 군 문제는 어디까지나 내 개인적인 문제일 뿐, 점수를 높이는 효과는 없었다. 계속해서 점수가 나오지 않았다. 그렇게 점점 영어에 대한 자신감은 떨어졌고 안 그래도 멀었던 거리감은 더 멀어졌다.

　그 후 억지로나마 끌고 갔던 토익 공부를 중단했다. 수능 이후 억지 공부에 지쳐버린 나다. 이미 불태울 만큼 불태웠던 나다. 카투사가 내 길이 아닌지도 모른다. 그래도 이미 지원해 놓은 토익 시험이 있어 일단 응시는 하기로 했다. 응시료가 아깝다.

시험 전날 밤을 새웠다. 억지 공부로나마 마지막 불꽃을 태울 수도 있었겠지만, 사실 그 이유에서는 아니었다. 전날 친구들과 술을 마셨다. 술을 좋아하지 않는, 오히려 싫어하기까지 했던 내가 왜 그랬는지는 모르겠지만, 어쨌든 친구들과 어울리며 술을 마셨다. 그대로 잠들면 아예 일어나지 못할 것 같아 일단 밤을 새우고 시험장으로 갔다.

마음이 편했다. 이미 내려놓은 자는 마음이 편하다.

끝내 점수가 나왔다. 705점… 응?

놀랍게도 딱 5점 차이로 카투사 지원 기준 점수를 달성했다. 일정상 내가 본 토익 시험이 카투사 지원에 필요한 점수를 얻을 수 있는 마지막 시험이었다.

'될 일은 된다! 어쩌면 카투사가 내 운명일지도 모른다!'

성적표를 보고 안도했던 이때만 해도 나는 아직 몰랐다. 내년부터 시작될 마이 리얼 군대 라이프가 어떻게 꼬여갈지. 그리고 그 결과가 어떤 식으로 이어질지.

두 마디에 내 운명이 정해졌다

카투사와 상관없이 이미 입영 날짜가 나와 있었다. 가장 흔한 일반 보병으로 1월 초 입대였다. 추운 날 입대하면 고생한다지만, 그건 더울 때 입대해도 마찬가지 아닐까. 언제 입대하든 그때의 고생이 있겠지만, 전역 후 바로 복학할 걸 생각한다면 1월 입대는 나쁘지 않은 선택이었다. 2년 후 깔끔하게 봄 학기를 시작할 수 있으니까.

만약 카투사에 합격한다면 내 입영 날짜는 알아서 조정된다. 사실 합격하기만 한다면 난 1월이든 뭐든 상관없었다. 20대 초반의 2년이라는 이 귀한 시기를 훨씬 더 알차게 보낼 수 있다면, 몇 개월의 입대 시기 차이는 충분히 감내할 수 있었다.

2개월이 지났다. 그제야 카투사 선발 결과가 나왔다. 행운의 여신은 토익 시험까지만 놀러 왔다가 떠났나 보다. 불합격이었다. 카투사 지원은 생애 1회밖에 하지 못한다. 그러니 재도전이 불가능하다.

가장 큰 희망이 사라졌다. 그럼 대신 일반 병사로 입대할 게 아니라 특기병이라도 찾아서 지원해 볼까. 사회에서 써먹을 수 있는 기술을 익힐 수 있다면 그것도 나름 이로운 일 아닌가.

하지만 이미 나와 있던 내 기존 입대 날짜는 1월 초. 카투라 선정 결과 발표는 12월 중순. 어느새 내게 남은 시간은 얼마 되지 않았고, 그사이에는 내가 지원할 수 있는 특기병 모집이 없었다. 카투사는 가장 큰 희망이 아니라 유일한 희망이었다.

내가 할 수 있는 건 또 다른 방법을 찾는 것도, 지금의 현실을 원망하는 것도, 카투사 선정 결과에 오류가 생겼다며 추가 합격 연락이라도 오길 기대하는 것도 아니었다. 그저 하루빨리 이 실망감을 내려놓고 머리 깎을 준비나 하는 것이었다. 쳇.

"정신 안 차려? 빨-리 빨-리 뛰어!!!"

살갑진 않아도 최소한 악의는 없어 보였던 사람들이 돌변

했다. 건물 모퉁이를 지나 가족이나 친구, 즉 외부인의 시선에서 벗어나는 순간, 부대 간부들과 내려쓴 방탄 헬멧으로 눈을 반쯤 가린 조교들은 말 안 듣는 양을 울타리로 몰아넣듯 그렇게 우리를 다그쳤다.

여기는 의정부. 머리를 깎고 처음 들어간 곳은 306보충대였다. 온 김에 의정부 부대찌개를 먹고 들어왔든 전날 밤 거하게 뭘 먹었든 훈련병들이 사회에서 먹은 음식을 엉덩이 밖으로 내보낼, 어쩌면 누군가는 다 내보내지도 못할 정도의 짧은 기간 동안 잠시 머무는 곳이다. 또한 비움이 있으면 채움이 있는 법. 자유로웠던 사회의 흔적을 내보내는 대신, 훈련병들이 각 사단 신병교육대에 가기 전에 미리 군인 냄새를 잔뜩 입혀 놓는 곳이었다. 오랜 기간 군인들의 대표적인 입영 관문이었으나, 2014년을 끝으로 해체됐다.

평소 입지도 않던 칙칙한 메리야스와 삼각팬티를 받아 들고, 입고 온 겨울 외투를 소포 박스에 담아내던 당시 나로선 306보충대가 앞으로 사라질 거라곤 예상도 하지 못했다. 아니, 지금 그런 걸 신경 쓸 때가 아니었다. 내 신경은 오로지 '왜 화장실도 제때 보내주지 않는가'와 '그래서 난 앞으로 어느 부대로 가게 되는가'였다.

화장실 문제는 눈치껏 어찌어찌 해결해가고 있었다만 자대 배치는 여전히 오리무중이었다.

각종 군복과 용품을 받고 몇몇 검사를 하던 도중 틈틈이 누군가 차출되어 나가곤 했다. JSA(판문점 공동경비구역), 구대장(보충대 조교) 등 각종 특기병 혹은 특수한 임무를 하는 병사들이라고 했다. 무슨 기준에서 뽑혀 나가는지는 알 수 없었다. 막상 가서는 어떤 생활을 할지도 알 수 없었다. 그럼에도 많은 사람들이 내심 차출을 기대하고 있었다. 그게 2년 후 특별히 남는 게 있는 역할일지, 다들 그토록 바라는 꿀 보직 일지, 그냥 특급 노예 일지는 알 수 없지만 말이다.

어쨌든 어느새 사회물을 씻고 개성이 사라지고 있는 반빡빡이들은 인형 뽑기 기계 속 인형들처럼 움직이라는 대로 움직이고 가만히 있으라는 대로 가만히 있으며 시간을 보내고 있었다. 하지만 생각보다 집게는 많이 움직이지 않았고 설령 움직이더라도 소수의 누군가만 데려갈 뿐이었다. 남겨진 이들은 그저 컴퓨터가 랜덤하게 뽑아내는 대로 그렇게 흘러갈 터.

몸은 시키면 시키는 대로 단순하게 움직이고 있었지만, 사실 내 머릿속은 복잡했다. 내심 차출을 기대하고 있는 사람들이 많았던 건, 일찍 차출해가는 보직일수록 편할 보직일 가능성이 높다는 소문 때문이었다. 이게 맞는지 아닌지는 알 수 없지만 어쨌든 이런 이야기는 입대 전에도 들은 적이 있었다.

물론 함정(?)도 존재한다. 예를 들어 특공대 같은 곳이다. 당연히 군 내에서 정말 중요한 역할을 하는 곳이고, 다녀온 분들의 자부심은 그만큼 엄청나다. 이런 힘든 임무를 해내시는 분들이 있기에 우리 사회가 안전하게 돌아가지 않나. 그렇다. 감사한 일이다. 그런데 여기서도 알 수 있는 건 일단 힘들다는 점이다. 그리고 대부분의 훈련병은 그 힘듦이 내 힘듦이 되지는 않길 바라고 있었다.

입대하기 전, 내 군대 보직을 예상하는 주위 사람들의 이야기는 대부분 크게 2가지로 정리할 수 있었다. 일반 소총수로 입대하긴 했지만 건강한 신체 등급과 몇몇 이유들로 인해 일찌감치 특공대나 조교 같은 곳으로 차출될 수 있다는 의견과, 웬만하면 행정병으로 빼돌려 일을 시킬 거란 의견이었다.

다만 선 경험자들의 실질적인 조언은 대체로 비슷했는데, 함부로 모든 카드를 내보이지 말라는 것이었다. 예를 들어 전공이나 자격증, 특기, 그 외 특이사항과 심지어 겉으로 보이는 이미지까지. 전략적으로 보여줄 건 보여주고 숨길 건 숨겨야 최대한 원하는 보직에 배치될 확률이 높아진다는 것이다.

생각해봤다. 내가 가진 것은 무엇인가. 나는 어떤 모습으로 보이고 있는가. 그리고 그게 앞으로 있을 내 보직과는 어떤 연결고리가 있을까.

여전히 명확한 답을 알 수 없었던 어느 시간, 까칠한 간부가 건물 안으로 걸어 들어오더니 모두 자리에서 일어나라고 했다. 그리고는 이유를 알 수 없어 잔뜩 긴장 중인 보충병 무리를 향해 말했다.

"운전면허증 있는 사람 우측으로."
스르륵-
"시력 얼마 이상 앞으로."
스르륵-
"운전병!"

그냥 그렇게 난 운전병이 됐다.

잘할 수 있는 게 충분히 많은데

누군가는 말했다. 운전병이 편하다고.

뭐, 누군가 그렇게 말했다면 실제 그런 사람이 있긴 있을 것이다. 본인이 원해서 아예 운전병으로 군대를 지원하는 사람도 있으니 분명 그만의 장점이 있는 게 분명하다.

하지만 그건 그들의 이야기다. 나로선 두 번의 분류만으로 운전병이 돼버린 게 야속한 게, 일단 내가 차를 좋아하지 않는다. 아니, 오히려 싫어했다. 차 특유의 그 냄새와 실내의 답답함은 나를 매번 어지럽게 했다.

일반적으로 남자들이 차에 관심이 많다고 하지만, 그건 일반적인 이야기지 언제나 소수는 존재한다. 당시 난 차에 전혀 관심이 없었다. 각종 브랜드나 모델명을 줄줄 외는 친구들과 달리 내가 아는 모델은 티코, 쏘나타, 그랜저 정도고 나머진 그냥 승용차, 봉고차, 트럭, 버스였다.

운전 역시 마찬가지였다. 수능을 마치고 운전면허증을 따기는 했는데, 이건 다들 이 시기에 따는 게 좋다고 해서 그냥 딴 거다. 함께 학원에 간 친구들은 어떻게든 빨리 면허증을 따서 아버지 차를 몰아보고 싶어 했다. 어떻게든 빨리 면허증을 타고 싶은 마음은 나 역시 동일했다. 대신 이유는 달랐다. 하루빨리 이 운전 연습을 하지 않아도 되는 것. 그게 내가 운전면허에 합격해야 할 이유였다.

  당연히 면허 합격 이후 차를 몰아본 적이 없다. 아버지께 차를 한번 몰아봐도 되냐고 여쭤본 적도 없고, 그럴 생각조차 없었다. 누가 시켜줘도 오히려 내가 반대할 요령이었다. 심지어 하루 종일 게임을 하던 시절에도 레이싱 게임에는 관심이 없었다.

  그런 내가 운전병이라니. 그것도 군대에서 운전병이라니.

  분명 나에게는 조국의 발전과 군사력 강화에 더 기여할 수 있는 다른 역량들이 있을 것이다. 그런데 왜 내 강점이나 최소한 보통의 역량을 다 내버려두고, 오히려 약점을 군대 주특기로 만들어 버린 것인가.

  이렇게 머릿속으로 의문을 던졌지만, 이미 남들과 똑같이 칙칙한 메리야스와 팬티를 입고 있는 반 빡빡이인 나는 그저 말 몇 마디에 일괄적으로 분류되는 인형일 뿐이었다.

졸지에 운전병이 된 순간, 이제 나에게 남은 건 그래서 어떤 운전병이 되는가였다.

생각해 보니 어쩜 운전병이 기회일지도 몰랐다. 나로선 아예 관심을 두지 않았던 보직이라 아는 바가 전혀 없어 주위 보충병들에게 물었다. 여러 이야기를 듣고 정보를 구하니, 이 안에서도 분명 좋은 자리가 있었다.

어떤 운전병들은 에어컨과 라디오가 나오는 차를 타고 시내를 돌아다닌다고 했다. 필요할 때 운전하고 나머진 그저 대기하면서 시간을 보낸다고 했다. 그럼 그 시간을 이용해 내 공부에 투자할 수도 있지 않을까.

또 하나의 희망이 있었다. 내가 들어온 306보충대는 육군 3군에 소속돼 있었다. 물론 예외는 있지만 대체로 경기도 일대와 서부 전선 위치한 부대로 보내질 가능성이 높았다. 어쩌면 수도권 부대에 배치돼 외출이나 외박 시 학교 친구들을 만날 수 있을지도 모른다.

그리고 내가 가장 기대한 게 있었는데, 사실 난 입대하기 전에 군자녀 기숙사에서 살고 있었다. 부모와 따로 떨어져 다른 지역에서 취학하는 군인 자녀들을 위해 만들어진 곳이다. 아무래도 직업 군인들은 자기 의사와 상관없이 갑작스레 이사해야 할 때가 많기에, 기본적인 주거와 자녀들의 학업에 문제를 겪는 일이 많다. 이런 고민을 해결하기 위해 전국 몇 군데에 군자녀 기숙사가 운영되고 있다. 내 경우 아버지께서 오랜 시간 군 생활을 하셨고, 내가 학교를 위해 혼자 서울로 올라왔기에 고맙게도 군자녀 기숙사에서 생활할 수 있었다.

다만 내가 있던 곳은 교통이 좋지 않았다. 도시 외곽의 군 시설들 근처에 덩그러니 놓여 있었고, 서울로 향하는 버스는 1시간에 한 대만 운영했다. 그것마저 다른 버스에 비해 일찍 끊겼고, 종종 갑자기 일정이 변경돼 정류소에서 마냥 기다리다가 시간만 허비하기도 했다.

이를 보완하기 위해 근처 군부대에서 등하교, 출퇴근 시간을 중심으로 미니버스를 운영해 줬다. 지하철역까지만 태워 주는 셔틀버스다.

그럼 이 미니버스는 누가 모는가? 그렇다! 운전병이다. 그리고 내가 지금 운전병이 되었단 말이다.

이 미니버스를 모는 게 뭐가 좋은가? 미니버스를 운전한 분이 실제로 어떤 군 생활을 했는지, 내무반 분위기는 어땠는지는 전혀 아는 바가 없었다. 민간인을 태우는 셔틀버스를 운전하는 게 운전병으로서는 매력적인 일인지도 알 수 없었다. 사실 관심도 없었다. 하지만 지금 나에게는 이 모든 불확실성을 다 뒤엎고도 충분한 매력 포인트가 있었다. 여자 친구다.

당시 여자 친구를 사귀고 있었다. 그리고 그 여자 친구도 같은 군자녀 기숙사에 살고 있었다. 매일 아침 똑같은 셔틀버스를 타다가 모종의 사건으로 대화를 나누게 되었고, 그러다 친분이 쌓여 사귀게 된 것이다.

내가 만약 이 셔틀버스를 모는 운전병이 된다면?

허허허. 아니, 그래. 이것까진 진짜 욕심이라고 치자. 그런데 만약 나와 여자 친구가 살던 군자녀 기숙사 근처의 부대에 배치되기라도 할 수 있다면? 난 정말 기존의 내 마음을 모조리 뒤엎고 최선을 다해 기름내 폴폴 나는 자동차까지 사랑할 자신이 있었다. 과감히 번복한다. 지금부터 나는 인류의 위대한 유산인 차를 사랑한다.

"○○○포병대대."
"5톤 트럭 운전병!"

허허. 그쪽에선 아무래도 내 사랑이 필요 없었나 보다. 내가 살던 군자녀 기숙사보다 더 버스가 오지 않고 교통이 열악한 전방의 포병부대로 배치됐다. 그리고 뒤늦게 알게 되었는데, 내가 주로 태우는 건 여자 친구가 아니라 돌덩이, 나무, 모래, 진지 구축에 필요한 물자들, 쓰레기, 그리고 개당 쌀 2포대 무개의 쇳덩이 포탄들이었다.

이들은 문 열어줬다고 알아서 타는 존재들도 아니었다. 누군가 옮겨줘야 했다. 그 누군가는 당연히 사람이었고, 그 사람에 나는 당연히 포함되었다. 운전병은 운전만 하지 않을까?

그럴 리가. 여긴 군대다.

노란 견장 이등병의 대대장 면담

"자신이 넘어야 할 장애물의 크기를 스스로 크게 만들지 마라."

훈련소 퇴소식 때 교육대장이 한 말이다.

얼마 후 대대장 면담이 있었다. 당시 난 좌우 어깨에 노란 견장을 차고 있었는데, 이는 "아직 자대에 들어온 지 얼마 되지 않은 아이니 조금 부족하더라도 관심을 두고 돌봐주세요"라는 의미다. 여기에 스마일 마크까지 붙어 있노라면 밖에서 아무리 날고 기었든 놀라울 만큼 사람이 없어 보인다. 그런 노란 견장들 몇 명이 사방에 세상 무해한 기운을 뽐내며 병아리 떼처럼 줄줄이 대대장실로 향했다.

대대장은 우리 신병들에게 한 가지 미션을 줬다. 뜬금없이도 지정 도서 한 권을 읽고 1주일 내로 독후감을 제출하라는 것이다. 당시 선임들에게 물어보니 마치 부대의 전통과 같은 통과의례였다. 그동안 신병 모두 그 책을 읽고 독후감을 제출했다고 말했다.

이와 별개로 대대장은 군 생활을 하면서 남이 아닌 자기만의 목표를 가지라고 말했다. 군 상관이자 인생 선배로서 전하는 조언이었다.

그때 난 무슨 바람에서였을까. 멋모르는 열정이 이렇게 무섭다. 각자의 목표를 정해 보라는 말에 이렇게 답했다.

"5개월 내로 책 50권을 읽고 그 결과를 보고하겠습니다!"

목표 설정법 중에 SMART 기법이 있다. 구체적이고 명확하게(Specific), 측정 가능하게(Measurable), 행동 지향적으로(Action oriented), 현실성 있게(Realistic), 시간제한을 두고(Time limited) 목표를 세우는 것이다. 이때 목표를 달성할 확률이 높아진다.

내가 세운 목표는 참으로 스마트했다. 대대장의 눈빛이 반짝이는 것도 느낄 수 있었다. 하지만 한 가지 중요한 사실을 간과했다. Realistic. "현실성 있게"다. 난 지금 새내기 대학생이 아니었다. 노란 견장 이등병이었다.

함께 간 사람들의 목표는 대체로 "군 생활에 최선을 다하겠습니다"였다. 난 훈련소 교육대장의 마지막 조언을 지키지 않을 것일까. 스스로 거대한 장애물을 세우고 시작하는 걸까. 분명 이런 의미에서 해준 조언이 아닐 텐데 말이다.

사실 입대하기 전에 이미 세워둔 나만의 군 생활 목표 3개가 있었다. 그중 하나를 먼저 말하겠다.

카투사에 떨어졌다. 특기병에 지원할 수도 없다. 어차피 전공과도 관련이 없고 사회에서 써먹을 특기를 배울 수도 없다. 그럼에도 일반병으로 군대에 들어가 어떻게 스스로 자기계발할 수 있을까? 내가 내린 판단은 이랬다.

'이렇게 된 김에 대학에서는 해보지 못할 많은 경험이라도 쌓아 보자.'

나름의 역발상이다. 어차피 전공과 관련 없고 사회에서 써먹을 일이 없는 경험이라면, 이번 기회에 그 경험들을 잔뜩 누리는 것이다. 살면서 이런 경험을 언제 해보겠나. 어쩌면 기존의 환경과 틀에서 벗어나 나의 새로운 모습을 발견하고 그만큼 새로운 가능성을 실현할 역량을 기를 수 있을지도 모른다.

그렇게 세운 목표가 "다이나믹 군 생활"이었다. 다양한 경

힘을 하자는 의미다. 그런 의미에서 5톤 트럭 운전병과 연탄 창고 생활관은 일단 시작이 좋다. 내 상상을 벗어난 일이니 말이다.

대대장과 약속한 목표도 이런 마음에서 나왔는지도 모른다. 일단 내가 할 수 있는 건 다 해보자는 마음. 어쨌든 흘러갈 이 시간을 나를 위해 충실히 보내자는 마음.

군인 머리는 누가 깎아 주나요

운이 좋았을까. 이런 마음을 실현할 수 있는 좋은 기회가 생겼다.

당시 우리 부대에는 작업병이라는 게 있었다. 한 집단이 24시간 생활하는 곳이다 보니, 군인이라 하면 일반적으로 생각하는 전투 대비 훈련 외에도 수많은 일상 작업들이 필요하다. 예를 들어 재봉틀로 군복을 수선하거나 계급장을 다는 오바로크병, 막사 주위의 잡초를 제거하는 예초병, 그 외 용접병, 보일러병 등이다. 이런 일을 담당하는 병사를 작업병이라고 통칭했다.

대한민국 어딘가에는 위와 같은 일 자체가 자신의 주된 업무인 병사도 있었을 것이다. 하지만 내가 있던 곳과 같은 하급 부대에선 사정이 달랐다. 기본 일과는 일과대로 하고, 대신 개인 시간을 할애해 추가로 부대에서 필요한 작업을 하는 게 작업병이었다. 일종의 부업이다.

애초에 이런 작업을 주특기로 부여받고 전문 교육이라도 받으며 우리 부대로 배치되는 사람은 없었다. 따라서 마치 도제제도처럼 선임 작업병이 후임을 뽑고, 함께 작업을 하며 노하우를 가르치는 방식으로 승계됐다.

마침 병장 작업병 한 명이 이등병 중에서 새로운 후임을 뽑으려고 했다. 내가 마음에 들었던 것일까. 작업병을 한 번 해볼 생각이 있냐고 넌지시 의사를 물었다.

얼마 되지도 않은 개인 시간을 할애해야 하는 일이다. 내가 잘할 수 있을지도 모르고, 실제로 어떤 생활이 펼쳐질지도 모른다. 그럼에도 결국 난 작업병이 되었다. 입대하기 전 내 목표를 생각한다면 충분히 도전할 만한 일이었다.

그래서 난 구체적으로 어떤 작업병이 되었냐고? 어떤 곳에서는 '깍새'라고도 부른다. 이발병이다. 군인 아저씨들 머리 깎는 이발병.

참고로 난 단 한 번도 남의 머리를 깎아 본 적이 없다. 내 머리는 물론이다. 그런 생각조차 해본 적이 없다. 관련 기구를 손에 잡아본 적이나 있었을까. 손재주? 미적 감각? 거리가 멀다. 심지어 헤어든 패션이든 무언가를 꾸미는 데에도 큰 관심이 없는 사람이다. 그럼에도 하는 거다. 하면서 배운다. 그게 내가 선택한 방식이다.

'하면서 배운다'는 마인드는 개인의 성장에 큰 도움이 된다. 하지만 상대의 입장에선? 머리를 깎으러 갔는데 생전 남의 머리를 단 한 번도 깎아 본 적이 없는 이발사, 미용사가 잔뜩 긴장한 채 기다리고 있다면? 나라면 돌아간다. 하지만 그럴 수 없다. 여긴 군대다.

물론 사전 교육 기간이 있었다. 그런데 그 사전 교육이 곧 실습이자 실전인 게 문제다. 지체 높은 상병이나 병장들은 당연히 나에게 소중한 머리카락을 맡기지 않았다. 나와 같은 이등병이나 일병이 희생양이었다.

밖에서 봤을 땐 그냥 전부다 까까머리지만, 나름 이 안에서도 스타일이라는 게 있다. 이미 없는 구레나룻을 남겨달라거나, 짧은 머리임에도 숱만 쳐달라는 경우, 상하좌우 정확한 길이를 맞춰달라는 경우도 있다. 전투모를 썼을 때 밖에서 보이는 부분만 짧게 잘라달라는 경우도 있고, 아예 부위별 몇 mm로 다듬어달라는 디테일한 요구사항도 있다. 스타일을 낼 게 짧은 머리카락과 전투복 칼주름, 전투화 광택뿐이기에 오히려 더 민감한지도 모른다.

어쨌든 같은 군인으로서 군인의 마음을 알기에 최대한 조심스러울 수밖에 없었다. 내 첫 손님은 당시 일병이었던 선임이었다. 실력은 없어도 마음만은 장인 정신을 탑재했다. 0.1mm 단위로 온몸의 감각을 집중하며 야금야금 잘라냈다. 이발병 선임이 옆에서 서너 명을 처리할 동안 난 오로지 이 한 명의 손님에게 집중했다.

그리곤 완성했다. 바보 머리를.

나의 진실한 마음과 온 힘을 쏟은 정성과 달리 일병 선임의 머리는 휴가를 나가선 안 될 머리였다. 너무 미안해 어쩔 줄 모르는 내게 그 선임은 "괜찮아. 어차피 한동안 나갈 일도 없어"라며 웃어줬다.

그때의 고마움이 아직도 기억에 남는다. 그 선임은 나와 나이가 같아 전역 후에는 친구로 지냈는데, 고마운 마음을 담아 다시 머리 한 번 잘라주겠다고 하면 큰일 나겠지?

아, 문득 기억난다. 그 선임을 밖에서 만나기로 한 어느 날, 그가 가발을 쓰고 왔음을. 그렇게 머리에 신경 쓰는 사람이었는데….

자기계발러를 꿈꾸는 이등병의 새로운 희망

군인 출신 아버지로부터 물려받은 유전자와 그동안의 몇
몇 단체 생활 경험 덕분일까. 군대 특유의 '다나까' 말투라
던가 기본적인 제식 등은 비교적 빠르게 적응할 수 있었다.
하지만 어려움을 겪는 게 있었는데, 그건 이름이었다.

애초 사교적인 성격도 아니고 타인에게 그렇게 관심을 두
는 사람도 아니었다. 그런 나에게 이른 시일 내에 전 부대원
의 얼굴과 이름, 게다가 계급과 몇 월 군번인지까지 외우는
건 꽤 만만치 않은 일이었다. 이건 단순히 상대방을 위한 배
려나 원활한 업무를 위한 게 아니라 내 생존의 문제였다.

이등병이었던 난, 시간이 날 때면 부대 게시판 앞에 섰다.
부대원들의 이름을 비롯해, 필요한 정보들을 최대한 놓치지
않고 빠르게 습득해야 내 군 생활이 편할 수 있기 때문이다.

어느새 자대에 온 지도 3개월이 흘렀다. 여느 때와 같이 이것저것 둘러보던 순간, 구석탱이 한편에서 평소에 확인하지 못했던 새로운 정보를 얻을 수 있었다. '연등 제도'다.

살다 보면 순간적으로 어떤 직감이 올 때가 있지 않나. 이 순간이 나에게 그랬다. 뭔가 좋은 느낌이 들었고, 그 자리에서 바로 자세한 내용을 살폈다.

군대에서 취침 시간은 22시다. 이 시간이 되면 다들 불을 끄고 잠을 청한다. 하지만 추가 작업이 필요한 경우나 특별한 사유가 있을 경우에 한해 1~2시간 정도 별도의 시간을 낼 수 있다. 그게 연등이다.

나에겐 시간이 필요했다. 하루하루 스릴 넘치는 이등병 생활을 하면서 주말에는 이발병 역할을 맡아야 했다. 그리고 어느새 잊었는지는 모르겠지만, 대대장과 감히 약속한 5개월 내 책 50권 읽기 목표까지 달성해야 했다. 군 생활을 하면서도 자기계발을 놓치고 싶지 않았던 나로선, 적어도 일단 저질러 놓은 일들을 완수해야만 했던 나로선 연등 제도를 활용한 1~2시간이 절대적으로 필요했다.

하지만 이건 어디까지나 내 사정이다. 명문상 연등 제도가 있기는 했지만 실제로 이를 활용하고 있는 사람을 보지 못했고, 제도는 있지만 이건 어디까지나 당직 사관의 승인 아래 이뤄지는 것이었다. 국가대표 축구 경기라도 있을 때 아주 가끔 10시 조금 넘게까지 부대원들이 생활관 내에서 조용히 불을 끄고 TV를 볼 수 있게 해주는 것. 딱 그 정도까지가 실질적인 연등의 전부였다.

왜? 부대원들이 제때 수면을 취하게 해 전투력 손실을 막는 것. 비상시에도 빠르게 대처할 수 있도록 가급적 모든 상황을 통제 가능하도록 두는 것. 이게 군대의 특성이기 때문이다.

이런 상황에서 한 부대원이 22시에 잠을 자지 않고 별도로 개인 시간을 내서 책을 읽고 공부를 한다? 그것도 병장이 아닌 이등병이?

그래. 안다. 어쩌면 욕먹을 짓인지도 모른다는 걸. 그럼에도 그냥 포기하고 싶지는 않았다. 나 스스로 해보지도 않고 안 되겠거니 포기하기보다는 일단 물어라도 보고 결과를 받아들이고 싶었다. 일단 그렇게라도 하면 나중에 다른 방식으로라도 길이 열릴 것이라 생각했다.

보고 체계는 지켜야 한다. 먼저 조심스럽게 분대장에게 말씀을 드렸다. 연등 제도가 있다는 걸 확인했고 이를 하고 싶은데 혹시 가능하겠는지 말이다. 당시 우리 분대장은 일단 분대장이긴 하지만 전체 포대(대략 중대와 비슷)에서 봤을 땐 서열이 꽤 낮은 편이었다. 내가 처음 이등병으로 왔을 때 아직 상병일 정도였으니 말이다.

따라서 아무리 자기 분대원이라도 이런 이등병의 요구를 들어주기가, 이런 목소리를 위로 전달해 주기가 조금은 부담스러웠을지도 모른다. 그의 선임인 병장들에게 '야! 너희 이등병은 밤에 안 자고 뭐 하냐?'라고 한 소리를 들을 수도 있으니까.

며칠이 지났다. 분대장은 나에게 말했다.

"당직 사관님께 허락을 맡고 통제를 잘 따른다면 연등을 해도 좋다."

물론 100% 가능하다는 건 아니었다. 매일 부대 상황도 다르고 당직 사관도 바뀌었기에, 매번 그날의 당직 사관에게 직접 찾아가 연등을 해도 되는지 허락을 구해야 했다. 당직 사관으로선 이등병이 왜 연등을 하려고 하는지, 연등을 해서는 구체적으로 뭘 하려는 건지 물어볼 수밖에 없다. 혹시 모를 사건이라도 발생하면 그건 전적으로 자기 책임이기 때문이다.

당연히 난 미리 준비해 놓은 책과 공부할 것들을 보여드리며 내가 구체적으로 무엇을 하려고 하는지 말씀드렸다.

결코 이상한 짓을 하려는 게 아님을 계획과 실천으로 증명했다. 당연히 평소 일과에도 열심히 임하며 나의 신뢰도를 스스로 높여야 했다. 권리와 혜택에는 그만큼 책임이 따르는 게 세상 이치다.

감사하게도 이런 내 뜻을 받아들여 주시는 분들이 계셨고, 덕분에 난 황금 같은 연등 시간을 얻어 책도 읽고 개인적인 공부도 하고, 각종 검열이나 평가에 필요한 지식도 외울 수 있었다.

군대. 제한은 많지만, 어쩌면 그렇게 꽉 막히기만 한 곳은 아닐지도 모른다. 결국 여기도 사람이 사는 곳이다.

부대 동아리 활동과 스카우트

선임에게 거짓말 아닌 거짓말을 했다.

매주 토요일 오전은 동아리 활동 시간이었다. 특별히 할 만한 게 없어 그냥 헬스 동아리에 들어갔다. 생활관 근처에 비닐하우스처럼 만들어 놓은 빨래 건조장이 있었고, 그 안에 낡은 아령과 바벨 정도가 몇 개 있었다. 이게 헬스 동아리의 시설이었다. 그마저도 당연히 선임들에게 우선권이 있을 수밖에 없었다.

그나마 다행인 건 대단한 시설은 없었지만 이렇게 깔짝깔짝이라도 개인적인 운동을 할 수 있는 시간이 생겼다는 것, 헬스인들의 특징인지는 모르겠지만 이 시간만큼은 후임병들의 운동을 좋게 봐주고 권장하는 좋은 선임들이 몇 명 있었다는 것, 그리고 처음 의욕과 달리 막상 그렇게 꾸준히 운동하는 사람은 많지 않았다는 것이다.

매일 작업과 훈련으로 몸을 써야 하는 상황. 대대수는 그 냥 생활관이나 어디 안 보이는 곳으로 숨어 들어가 빨리 쉬고 싶어 했다. 동아리 활동 시간이 조금 지나면 선임들부터 하나둘 사라지기 시작했고 점차 짬 순서대로 생활관 복귀 시간이 빨라졌다.

그리고 이 속도가 가속될 수밖에 없는 요인이 하나 더 있었다. 제한된 기구와 열악한 환경에서라도 성실히 근력을 기르고 있는 한 무리의 집단은 누군가에게 참으로 매력적일 수밖에 없었다. 행정보급관이다.

평일 내 못다 한 작업을 해결할 기회를 찾은 그는 만족스러운 미소와 함께 종종 우리를 찾아왔다. 아니 우리를 찾아냈다. 비교적 사방이 개방된 비닐하우스였던 탓에 찾아내기도 편했다. 마치 인력 사무소에서 오늘 작업에 필요한 인부를 데려가듯 그렇게 헬스인들을 데려갔다. 대신 일당은 없다.

헬스인들의 존립을 지키고자 얇고 귀여운 저항을 펼치는 최고참에게 그는 말했다.

"작업이나 운동이나 어차피 힘쓰는 건 똑같애~"

부대의 살림살이를 담당하는 분이다. 그가 그렇다면 그런 것이다.

그렇게 동아리 활동과 추가 작업의 경계를 아슬아슬하게 넘어서던 어느 날, 병장 한 명이 내게 다가와 물었다.

"너 혹시 사회에 있을 때 플래시 사용해 본 적 있니?"

나는 답했다

"네, 해본 적 있습니다."

여기서 플래시(Flash)란 무엇인가. 어도비 시스템즈 (Adobe Systems)사에서 운영했던 멀티미디어 콘텐츠 플랫폼으로 애니메이션, 게임, 비디오 등을 만드는 데 널리 사용되었다. 쉽게 말해 애니메이션이나 게임, 비디오 등을 만드는 프로그램이라는 것이다.

군대 동아리 이야기에서 뜬금없이 플래시가 언급되는 이유는 무엇인가. 여기엔 배경이 있다.

당시 내가 속한 부대의 대대장은 병영 문화 개선에 상당히 열정적이었다. 방송, 영상 등에도 상당히 관심이 많았는데, 이 열정과 관심이 합쳐 새로운 효과를 발휘했다. 병영문화 개선을 위한 단편 영화를 제작해 장병들에게 보여주기도, 각종 교육 및 부대 홍보를 위한 영상 제작을 지원하기도했다.

그때 마침 우리 포대에는 실제 전역 후 미술 관련 일을 할 정도로 디자인 감각이 뛰어난 선임이 한 명 있었는데, 그는 당연히 관련 작업에 끊임없이 불려 갔다.

그렇다. 그 선임이 이 선임이다. 나에게 플래시를 해본 적 있냐고 물어본 병장. 당시 그 선임은 플래시 프로그램을 사용해 멋진 부대 홍보 영상을 제작해 냈고 현재도 제작하고 있었다. 앞으로도 계속해서 제작해 내야 할 텐데, 문제는 계급이 병장이란 것이다. 당사자에겐 비록 느리겠지만 어쨌든 하루하루 전역할 날짜가 다가오고 있었다. 그가 나갔을 때, 누군가는 그 작업을 이어서 해내야만 했다.

그 방편으로 대대장의 지시 및 지원 아래 방송 동아리를 창설할 생각이었다. 동아리 시간을 활용해 후임에게 사진, 영상 관련 노하우를 전수하여, 향후에 부대에서 필요한 작업을 해낼 수 있도록 하는 것이다. 말이 방송이고 동아리지 사실은 작업병 양성소의 역할을 하는 것이다. 영상 작업병.

그런데 마침 아직 군 생활이 한참 남은 내가 한글이나 워드도 아닌 플래시 프로그램을 다뤄본 적이 있다고?

사실 여기서 거짓말 아닌 거짓말을 했다. 선임은 나에게 플래시를 사용해 본 적이 있냐고 물었다. 나는 정말로 사용해 본 적이 있었다. 하지만 이게 무슨 프로그램인가 싶어 궁금한 마음에 한 번 실행했다가 작동법을 몰라 바로 닫은 적이 있지, 그걸로 작업물을 만들어본 적은 단 한 번도 없었다. 솔직히 영상 파일을 저장하는 방법조차 몰랐다.

그럼에도 무모하게 "네, 해본 적 있습니다."라고 말한 건 첫째, 부대 안에서 다양한 경험을 해보자는 나의 목표가 떠올랐기 때문이고, 둘째, 이 활동을 통해 배울 수 있는 스킬은 사회에 나가서도 분명 유용하리라는 판단 때문이다. 공대생으로서 미적 감각도 음악적 감각도 부족하고, 영상 작업과 관련된 진로를 펼칠 가능성도 적지만, 그래도 최소한 헬스 동아리를 가장한 추가 삽질과 짐 나르기, 배수로 정리하기 등보다는 사회에서 써먹을 게 있을 것이라 여겼다.

그렇게 난 졸지에 방송 동아리의 창립 멤버이자 영상 작업병 부사수가 되었다. 연봉 인상은 없지만 나름 스카우트다. 헬스 동아리여 안녕.

누구나 그럴싸한 계획을 가지고 있다

부대 방송 동아리원으로서 첫 시간이었다. 사수는 친절하게 플래시 프로그램의 기본 원리를 설명해 줬다. 직접 제작한 부대 홍보 영상을 예시로 보여줬는데, 멋들어진 영상임에도 막상 제작 기법이나 적용한 효과는 기본적인 기능들을 바탕으로 한다고 말했다. 나타내기, 사라지기, 이동하기, 확대 및 축소하기... 기본 패턴만 잘 익혀두면 나머진 조금의 응용만으로도 충분히 멋진 영상을 만들 수 있다고 했다. 그렇게 들으니 그래 보였다.

문제는 여기서 발생했다. 그래. 보.이.기.만. 했다는 것이다.

처음 방송 동아리원이 되었을 땐, 영상 작업병 부사수로서 선임에게 직접 플래시를 배우면서 대대장의 각종 작업에도 함께 참여하리라 생각했다. 이게 외부와 단절된 군대 내에서 무언가를 학습할 수 있는 유일한 방법 아닌가.

하지만 상황은 여의찮았다. 일단 컴퓨터가 없었다. 컴퓨터 프로그램을 사용하는 동아리인데 컴퓨터가 없다. 말이 안 되는 일인데 말이 안 되는 그게 현실이었다. 사수가 플래시 프로그램을 보여준 것도 동아리 소유의 컴퓨터가 아니라 담당 간부의 개인 컴퓨터를 통해서였다. 그나마 그 간부가 자기 숙소에 우리를 데려와 줘서 프로그램을 눈으로 보기라도 했지, 안 그랬으면 컴퓨터 프로그램을 말과 상상으로만 접할 뻔했다.

시간이 지나서야 우리가 사용할 수 있는 컴퓨터를 하나 확보할 수 있었는데, 정말 단 한대였다. 그런데 낡은 건 기본이고, 보안상 인터넷도 안 되고 각종 프로그램에도 제한이 있었다. 모르는 걸 검색해 볼 수도 없고 영상 제작에 사용할 소스를 따로 구할 수도 없었다. 그 컴퓨터마저 내가 원한다고 사용할 수 있는 건 아니었다. 여긴 학교도 PC방도 아니다. 군대다.

어떻게든 공부해야 한다는 생각에 첫 휴가를 나갔다 오면서 사비로 얇은 기본서 한 권을 사 왔다. 그게 부대 내에 존재하는 플래시 관련 유일한 자료였다. (책이라도 좀 두터운

걸 구해왔어야 했다. 캡처 화면이 많은 걸로. 이미지 트레이 닝이라도 하게.)

이미 경험이 있는 선임에게 직접 배우고 인수인계받으면 되지 않을까. 라는 게 우리의 처음 계획이었다. 이런 계획의 중요성에 대해 세계적인 복서, 마이크 타이슨은 말했다.

"누구나 그럴싸한 계획을 하고 있다. 처맞기 전에는
(Everyone has a plan till they get punched in the mouth)"

계획은 어디까지나 계획이었다. 우리 부대의 주된 업무는 영상 제작이 아니다. 선임도 나도 주된 보직은 따로 있다. 어쨌든 우선순위는 본래 임무와 작업에 있다. 모든 일과는 이를 중심으로 돌아갔다.

그나마 대대장의 지시로 실전 영상 제작에 들어갈 때가 있었는데, 이때도 사수 혼자만 참여했지 부사수는 참여할 틈이 없었다. 작업과 훈련이 워낙 많은 부대라 한 명의 인력 이라도 아쉬운 상황이었기 때문이다. 사수가 나를 어떻게든 작업에 참여시키려 노력했지만 끝내 받아들여지지 않았다.

매주 토요일 오전의 동아리 활동 시간에라도 충분히 인수인계를 받으면 되었을 텐데 그마저도 보장되지 않았다. 어느 날은 훈련이나 다른 작업으로 동아리 활동 자체가 취소되었다. 어느 날은 동아리 활동 시간인데 모니터가 켜지지 않았다. 어느 날은 모니터는 켜졌는데 사수는 말년이라 연달아 휴가를 나갔고(남의 휴가는 왜 이리도 많아 보일까), 담당 간부는 전날 야간 근무라 잠을 자고 있었다. 그리고 나는 컴퓨터 비밀번호를 몰랐다. 나에겐 보안상 컴퓨터 비밀번호조차 공유되지 않은 상태였다.

나만 답답했던 건 아니다. 쉬는 시간, 생활관에서라도 간혹 책을 보고 궁금한 점이 생겨 선임에게 물어보곤 했는데, 실제로 화면을 보여주며 알려줄 수 없으니 선임 역시 답답해했다. 상상으로 질문하고 상상으로 답변했다. 그리고 그 지식은 허상이 되었다.

신기할 만큼 이런 식으로 시간이 흘렀고, 어느새 사수는 전역할 때가 되었다. 인간적으로 좋아하던 선임이라 기꺼이 축하했지만, 영상 작업병 사수로서의 그는 "미안하다"라는 말을 내게 되돌려주며 그렇게 떠났다.

이렇게 흐지부지될 거였으면 애초에 방송 동아리는 왜 만들었을까. 어쩌면 처음 계획과 달리 더 이상 부대 내에서 필요가 없어진 건 아닐까. 선임이 마지막 불꽃을 피우고 더 이상의 영상 제작은 없는 게 아닐까. 나는 다시 헬스 동아리로 돌아가면 되는 걸까.

유일하게 실질적인 작업을 하던 선임이 전역하고, 동아리가 오늘 당장 없어져도 이상할 게 하나 없는 상황. 나는 무엇을 해야 하나 고민하던 그 상황에서 뜬금없이 대대장의 임무가 떨어졌다.

"새로운 부대 홍보 영상을 만들어라!"

당시 난 단 한 번의 영상 파일조차 만들어보지 못한 상태였다. 단 2초짜리 영상조차도. 그런 나에게 주어진 건 주말 이틀의 시간, 휴가 때 사 온 얇은 책 한 권, 그리고 담당 간부가 각종 부대 행사 때 찍어놓은 사진들.

나는 어찌해야 하는가.

이틀 줄게 영상다오

어찌하긴 뭘 어째. 해야 한다면 해내야지. 그게 내 상황이었다.

황금 같은 주말, 나의 첫 플래시 작품 제작이 시작되었다.

무에서 유를 창조하긴 어렵다. 반면 유에서 유를 재창조하는 건? 마찬가지로 어렵다. 그래도 덜 어렵다. 현재 상황에서 완전히 독창적인 무언가를 만들어내려는 건 욕심이었다. 최대한 선임의 기존 작품을 뜯어내고 분석해, 추가할 건 추가하고 덜어낼 건 덜어내며 그 과정에서 학습하고 응용하는 게 내가 선택할 수 있는 최선이었다.

이해를 위해 여기서 잠시 부가 설명을 하자. 당시 부대에서 사용한 홍보 자료는 현재 사람들이 익숙한 브이로그(Vlog)처럼 카메라로 영상을 몇 개 찍고 이를 재구성하는 방식이 아니었다. 영상 파일 하나 없이 플래시 프로그램을 사용해 사진, 글자, 도형 하나하나가 초 단위로 이동하고 변환하게 하여 영상처럼 보이도록 만드는 것이었다.

누군가에겐 비록 조금 귀찮은 일이기는 하지만 그럼에도 크게 대단한 일이 아닐 수 있다. 나도 그 누군가였으면 좋았겠지만 그렇게 바란들 달라지는 건 없었다. 최종 파일을 저장하고 출력하는 방법조차 몰랐고, 배경 음악 하나를 삽입하는 데 5, 6시간을 헤맸다. 12시가 넘어 새벽까지 씨름하다가 야간 근무를 다녀왔고, 잠시 눈을 붙인 뒤 일어나 점호를 마치고 다시 컴퓨터와 아침 인사를 했다. 인터넷이 안 되니 모르는 걸 검색할 수도 없고, 부대 내에 물어보며 도움을 요청할 사람도 없었다. 각종 애니메이션 효과를 적용하는 방법을 몰라, 프로그램의 모든 메뉴를 하나씩 클릭하며 기능을 확인하고 실험했다.

다시 한번 밤 12시를 훌쩍 넘긴 시간. 마침내 최종본을 만들어냈다. 내가 힙합 하는 사람도 아닌데 배경 음악의 비트를 온몸으로 느껴가며, 그 리듬에 맞게 부대와 부대원들의 사진이 움직이고 글자들이 각종 효과와 함께 나타나고 사라지고 이동하도록 했다. 한 자리에서 같은 음악을 수백 번 들었더니, 그 음악만 들으면 세월이 훌쩍 지난 지금도 온몸의 세포가 알 수 없는 느낌을 일으킨다. 물론 굳이 그 음악을 다시 찾아 듣지는 않는다.

이제 남은 건 최종 결정권자인 대대장의 컨펌. 과연 어떤 결과가 나올까.

완성물을 제출했으니, 좋으면 좋다 아니면 아니다 뭔가 평가가 있을 거로 생각했다. 부족하다 싶은 게 있으면 다시 수정해야 할 테니까. 하지만 어떠한 피드백도 없었고 그저 평소와 똑같이 바쁜 작업과 야간 근무들로 일과를 보내고 있었다.

그러다 며칠 뒤, 대대장의 말씀이 전달됐다. 어떤 점이 좋다 나쁘다는 의견은 하나도 없었다. 대신 나에게 전달된 건 짤막한 명령.

"여단장님의 부대 방문을 환영하는 영상을 제작하라!"

피드백이 있을 줄 알았는데 새로운 미션이 생겨난 것이다. 음... 그렇다는 건 지난 영상이 마음에 드는지는 모르겠지만 적어도 못 쓸 정도는 아니었다는 게 아닐까? 보통 남자들이 그렇지 않나. 음식점에 갔을 때 영 마음에 들지 않는 이상 특별히 리뷰를 남기지도 어떠한 피드백을 전달하지도 않는다. 대신 그냥 아무렇지 않게 다시 또 방문한다. 만약 정말 마음에 들지 않는다면? 그럼 그냥 소리 없이 다시는 그 가게를 찾지 않는다.

어쨌든 그렇게 갑자기 또 긴박한 미션을 받았고, 나는 다시 영상을 제작해야 했다. 여전히 무에서 유를 창조하는 건 어렵다. 대신 유에서 유를 재창조하는 건 덜 어렵다. 내가 비록 이제는 저장하는 법도 알아낸 사람이지만, 그렇다고 짧은 기간에 완전히 새로운 작품을 만들어내기에는 여러모로 제한이 많았다. 이번에도 역시 기존의 작품을 최대한 활용하기로 했다. 대신 선임의 작품에 지난번 만든 나의 작품까지 모두 참고해서.

나름 경력직이라 지난번보다는 수월했다. 대신 이번에 나에게 주어진 시간은 단 하루뿐이었는데, 그래도 밤을 새우진 않았다. 새벽 1시 30분엔 모든 작업을 끝마칠 수 있었으니까.

고객님의 소중한 평점과 리뷰는? 이번에도 역시 없었다. 대대장이 마음에 들었던 건지, 아니면 그냥 넘어간 건지는 여전히 알 수 없었다. 그 답은 결국 끝까지 알 수 없었는데,

미리 결말을 말하자면, 몇 개월이 지나 대대장이 바뀌었기 때문이다. 그냥 만족했던 고객님이 이사하게 되어 더 이상 찾을 수 없었다고 하자.

작업을 끝내고 얼마 뒤, 나와 같이 거의 맨땅에서 시작하는 사례가 반복되지 않도록 미리 부사수를 뽑았다. 나 역시 제대로 아는 게 없지만, 그래도 내가 아는 거라도 공유하고 함께 공부해 나가길 기대했다. 나도 아직 남은 군 생활이 까마득하지만, 후임의 경우 나보다도 더 군 생활이 많이 남았으니 어쨌든 시간을 투자하면 더 실력 있는 영상 작업병이 되지 않을까.

그런데 어느 날, 내가 밤을 새워 가며 작업을 하던 곳에 가보니 그 자리에 있던 컴퓨터가 통째로 사라졌다. 영문을 알 수 없어 행방을 수소문했다. 겨우 알게 된 소식으론 모니터는 위병소로, 본체는 또 다른 곳으로 보내졌다고 했다. 새로 오신 대대장은 영상 제작에 관심이 없었고, 아마도 왜 여기에 컴퓨터가 있냐며 다른 곳으로 치우라고 지시했었을 것이다. 컴퓨터 비밀번호가 공유되지 않더니 이제는 이 소식도 나에게 공유되지 않았다.

아무리 내가 책과 상상으로 컴퓨터 프로그램을 공부한 사람이지만, 그렇다고 동아리 활동 시간에 컴퓨터도 없이 멀뚱멀뚱 앉아 있는 것도 이상한 일이었다. 심지어 동아리 담당 간부조차도 상급 부대로 장기 파견을 나가면서 다시는 볼 수 없었기에, 우리가 빈 공간에서 할 수 있는 건 아무것도 없었다. 결국 그렇게 동아리는 완전히 해체됐다.

처음 동아리를 시작할 땐 카메라 촬영도 배우고, '플래시' 뿐만 아니라 전문 영상 편집 프로그램인 '프리미어'까지 익히는 장밋빛 전망이 있었다. 하지만 장밋빛 전망을 그려준 사람들은 모두 떠났고, 남은 건 가시 돋친 줄기와 횅한 사막이었다. 그래도 화려하진 않지만 작고 아담한 꽃잎 하나는 살짝 피워냈다고 생각한다. 어쨌든 작품은 만들어냈으니까. 그럼 됐다.

(참고로 이제는 어도비에서도 더 이상 플래시를 지원하지 않는다. 보안 및 기능상의 한계로 서비스가 종료된 것이다. 뭐, 플래시도 전역했다고 치자. 영원히 말뚝 박을 수는 없지.)

야간 경계 근무 중에 알 수 없는 소리가

군대 안에서 할 수 있는 건 다 해보자는 마음으로 여러 도전에 임하고 있었지만, 그래도 가장 기본은 주특기 작업과 훈련, 그리고 야간 근무였다.

주특기 작업과 훈련만으로도 매우 피곤했다. 힘을 써야 하는 일이 많고 온몸에 흙과 기름을 묻힐 수밖에 없었다. 부대에서는 인력이 그냥 놀고 있는 꼴을 보지 못했다. 조금 여유가 생겼다 싶으면 어느새 새로운 작업에 끌려갔다. 게다가 아직 계급이 낮았기에 자유 시간에도 항상 긴장하고 있어야 했다. 고참들 눈치는 기본이고, 수시로 일꾼을 모집하는 외침이 들렸기 때문이다. 징집이 아니라 모집이긴 한데 자발적으로 지원하지 않으면 큰일 나는 그런 모집.

그래도 깨어 있는 시간에 하는 작업은 기본 체력과 젊음이라는 무기를 활용해 어느 정도 버틸 수 있었다. 하지만 야간 경계 근무가 붙는 순간 피로는 배가 된다. 방전된 배터리를 충전할 수 있는 시간인 수면에 직접적인 영향을 주기 때문이다. 특히 어중간한 시간에 근무가 걸리면 자도 잔 게 아닌 것 같은 느낌을 받는다.

그날은 새벽 2시 타임에 당첨됐다. 모르는 사람이야 자다가 1시간 반에서 2시간 정도 잠깐 근무 다녀올 수 있는 거 아니냐고 말할 수 있다.

실상은 다르다. 그 시간을 위해 대략 40분 전에는 먼저 일어나 준비하고, 다녀와서도 30분쯤이 지나서야 잠들 수 있기 때문이다. 그러니 명목상 22시~06시까지 취침이 시간이 정해져 있다고는 하지만, 몇 번 뒤척이다 끝나는 게 군인 대다수의 수면 현실이었다.

내가 자기는 잤었나 싶은 상태에서 찬물로 정신을 차리고 탄약고로 야간 경계 근무를 나갔다. 적막만 흐르기에 지루한 근무 시간. 하지만 적막만 흘러야 하는 근무 시간.

어김없이 그 적막 속을 지켜보던 순간, 나도 모르게 총을 잡은 두 손에 힘이 들어갔다. 적막이 깨지고 있었기 때문이다.

부대 주변엔 아무것도 없었다. 그나마 위병소에서라면 어쩌다 시골 부대 앞을 지나가는 차량이라도 볼 수 있지, 야간에 탄약고 주변에선 진짜 아무것도 볼 일이 없었다. 그나마 인적이 있을 때라고는 다음 근무자가 올 때였다. 아니면 아주 가끔 당직 근무 중인 간부가 확인하러 올 때.

지금은 분명 교대할 시간이 아니었다. 그런데 누군가 잔걸음으로 풀숲을 헤치고 흙을 걷는 소리가 들렸다. 부대에서 초소로 오는 길엔 조명도 있었고 초소 시야 안이라 누가 접근하고 있는지 미리 확인할 수 있었다. 하지만 이 길엔 분명 아무도 없었다.

모든 감각을 깨웠다. 피곤이고 뭐고 생각할 틈도 없다. 그 소리는 점점 명확해졌다. 방향이 나왔다. 부대 안 사람들이 다니는 길이 아닌, 탄약고 주위를 감싸는 산속에서 들리는 소리였다.

'오늘 근무 중인 간부들이 누구지. 설마 이렇게까지 순찰한다고?'

느슨해진 경계 씬에 긴장감을 주는 게 간부들의 역할이긴 했다. 분명 야간 경계 근무가 달맞이 놀이는 아니지 않나.

그럼에도 '사병들의 경계 근무 태도 확립을 위해 이렇게까지?'라고 생각할 수밖에 없었던 건, 소리가 나는 방향에서 찾아오려면 부대를 완전히 한 바퀴 돌아서 와야 했기 때문이다. 그것도 어두컴컴해서 위험한 산길을 조명 하나 없이 헤쳐서. 어쩌면 철조망까지 건너서.

'응? 철조망?'

이거 예삿일이 아니다. 혹시 상급 부대에서 비밀리에 침투조를 붙여 경계 능력을 확인하는 건가. 혹시 그 침투조를 정상적으로 찾아내 FM대로 처리하면... 포상 휴가?

그런데 만약 우리 부대든 상급 부대든 군 관계자가 아니라면? 순찰, 시찰도 골치 아프지만 이건 더 골치 아픈 실제 상황이다.

어느새 우리가 자신의 동향을 인식하고 있음을 그 존재 역시 인식한 것일까. 풀숲을 헤치고 흙을 밟는 소리가 사라졌다. 지금의 적막은 더 이상 평소의 적막이 될 수 없었다. 아무 소리가 들리지 않았기에 오히려 온몸의 신경을 곤두세우게 되는 그런 적막.

하지만 그 적막은 오래가지 않았다. 탄약고를 둘러싸고 있는 산 전체가 스피커라도 된 것일까. 아니면 노래방에서 느끼는 에코 현상 같은 걸까. 알 수 없는 괴음이 서라운드 사운드로 들렸다.

"꾸우우이이익"

"꾸에웨"

"후엑. 후웩"

미친 성량과 거친 숨소리, 공간을 울리면서도 날카롭게 째지는 음파. 잠시 후 그 소리의 주인공이 탄약고 주위로 모습을 드러냈다.

멧돼지다. 성체 멧돼지와 새끼 멧돼지 4마리.

그 포스는 "밥 달라고 꿀꿀꿀~♪"의 그 돼지가 아니다. 일단 울음소리부터 정직하고 귀여운 "꿀꿀꿀"이 아니지 않나.

사람은 새로운 환경에 노출되고 자극을 받으면 과거 학습된 기억 속에서 가장 유사한 범주와 패턴을 찾는다. 빠른 대처와 효율적인 학습을 위해 자동반사적으로 그렇게 된다. 그때 나에게 떠오른 건 믿기 어렵겠지만 SF 영화 속 오크다. 돼지 같은 얼굴에 어금니가 튀어나와 있고 강한 전투력을 가진 가상의 종족. 실제로 만나 뵌 적은 없지만 그 느낌이다.

이 흑갈색의 멧돼지 5마리는 무엇을 하고 싶었던 걸까. 탄약고를 향해 내려오더니 잠시 주위를 살폈다.

양손으로 소총을 단단히 잡았다. 다행히 초소에는 문이 있다. 위로는 사방이 뚫려 있지만 멧돼지가 움직이는 아래쪽은 초소가 몇 번의 몸통 박치기는 막아줄 수 있다. 만약 멧돼지가 우릴 향해 달려오면 어찌해야 할까. 아무리 군대라지만 함부로 총을 쏠 수는 없다. 그럼, 개머리판으로 내려찍어야 하나 총검술로 멧돼지와 백병전을 치러야 하나.

머릿속에서 온갖 시나리오가 그려졌다. 하지만 선임과 나는 알고 있었다. 타노스를 상대로 승리할 시나리오를 찾는 닥터 스트레인지의 상황을 조금은 이해한다. 멧돼지를 상대할 14,000,605개의 모든 경우의 수를 그리더라도 지금 가장 먼저 해야 할 단 1개의 행동은 확실했다.

"보고!"

군대는 보고만 잘해도 기본은 먹고 간다.

어릴 적 전략 게임을 하도 했어서 그런 걸까. 나는 멧돼지 5마리는 물론, 여기에 정신 팔리느라 다른 걸 놓치지 않도록(멧돼지로 시선을 분산시키고 침입하는 적군의 전략까지 상상하는 나) 그 주위 상황까지 최대한 폭넓게 관찰했다. 그 사이 선임은 현재 상황을 차분히 보고했다. 여긴 에버랜드 사파리나 시골 체험 농장이 아니다. 혹시 근무 교대나 순찰을 위해 찾아오는 사람이 이동 중에 멧돼지를 만나기라도 하면 상당히 위험하다.

긴장감이 이어지는 대치 속에서, 멧돼지 가족은 당연히 먹을거리가 없을 탄약고에 흥미를 잃었는지 반대 방향으로 유유히 사라졌다. 그리고 이후 다시는 그 가족을 볼 수 없었다. 물론 고라니 외 기타 동물 친구들은 종종 만났지만.

군 생활을 하며 수많은 사람을 만났다. 다른 부대로 위문 공연 가는 아이돌 연예인도 봤고, 상급 부대의 높은 사람도 봤다. 하지만 순간 존재감이 가장 쩔었던 건 역시 그때의 멧돼지다. 2등은... 음... 교육 중 만난 풍채 훌륭하신 짬타이거?

내가 읍내로 나올 수 있었던 이유

주말이었다. 그날은 오전 7시 반에서 9시까지의 경계 근무에 당첨됐다. 아침 식사 시간과 겹친다. 그렇다고 근무자들을 굶길 수는 없기에 미리 따로 밥을 빼놓는다. 취사장에 가면 식판 2개로 근무자용 밥이 보관돼 있다. 그걸로 뒤늦게나마 배를 채우면 된다. 밥때는 살짝 늦춰지지만 그래도 아침 점호에서 빠질 수 있다는 장점은 있다. 주말 자유시간에 근무 나가는 것보다 훨씬 낫고.

멧돼지 가족 없이 다시 또 적막한 시간을 보낸 뒤, 드디어 다음 근무자에게 초소를 맡기고 생활관으로 내려왔다. 이제 주말이니 편한 활동복을 입고 든든히 배를 채운 뒤 자유시간을 누리면 된다.

그런데 저 멀리서 누가 나를 찾았다. 멧돼지는 아니다. 포반장 역할을 맡고 있는 간부다. 그냥 부르는 정도가 아니라 애타게 찾는 느낌이었다. 내가 이미 그쪽으로 가고 있음에도 나를 향해 성큼성큼 다가왔으니.

병사 입장에서 간부가 나를 찾는 건 그리 달갑지만은 않은 현상이다. 보통 일을 시킬 때나 혹은 뭔가 잘못했을 때다. 뭐가 되었든 이렇게 급하게 찾을 정도면 일반적인 상황은 아니다.

"빨리 총기 반납하고 나와."

경계 근무를 마치고 나면 그냥 생활관으로 돌아가는 게 아니다. 근무에 사용했던 물품들을 반납하고 특이 사항이나 기타 이상 유무를 확인하는 절차가 있다. 어쨌든 급하다고 하니 할 일들을 빠르게 처리했다.

나를 졸졸 따라왔던 간부는 내가 일을 마치는 걸 보자마자 그대로 이끌고 건물 밖으로 데려갔다. 그리고는 곧바로 대기 중이던 5/4톤 트럭 적재함에 나를 태웠다. 거기엔 이미 2명의 병사들이 타고 있었다. 나를 데려온 간부는 곧바로 조수석에 올랐고 그렇게 우리를 태운 트럭은 위병소를 거쳐 부대 밖으로 나갔다.

군대에는 '일계장'이라는 게 있다. 정식 용어는 아닐 것이다. 처음에 전투복 2벌을 받으면 하나를 일계장으로 지정한다. 부대 밖을 나갈 때나 행사 때 입을 깔끔한 전투복이다. 옷 자체는 똑같다. 단지 평소에는 잘 입지 않고 다림질까지 해가면서 보관하기에, 덜 상한 전투복이 될 뿐이다. (과거엔 그런 깔끔한 피복을 모아두는 옷장을 일계장이라고 불렀다는데. 이건 나도 따로 찾아보고서야 알았다.)

세트로 '일계화'가 있다. 같은 개념을 지닌 전투화다. 부대나 사람에 따라 이들을 'A급'이라고도 부른다. A급 전투복, A급 전투화다.

가족이든 연인이든 친구든, 살면서 한 번쯤 휴가 나온 지인을 만날 일이 있을 것이다. 그냥 어둠침침해 보이겠지만 그 사람은 나름 최고 공들여 입은 복장으로 나타난 것이다. 소개팅이라도 나가는 수준이다. (솔직히 나는 소개팅 나갈 때도 이렇게 다려 입진 않았다.)

그래도 군인들이여, 너무 아쉬워하지 말라. 그렇게 애씀을 누군가는 알아본다. 하필 그게 같은 군인들뿐이라서 문제지만 말이다. 남들에겐 모두 그냥 칙칙한 군인이겠지만 군인끼리는 상대가 얼마나 전투화에 광을 잘 냈는지, 전투복 주름이 칼같이 아름답게 떨어졌는지가 보인다.

나는 보았다. 적재함에 먼저 앉아 있던 군인 아저씨들은 모두 A급으로 깔끔하게 맞춰 입고 있었다는 걸. 부대 밖으로 사람을 보낼 땐 이렇게나 신경을 쓴다. 참고로 내가 신병 훈련소에 있을 땐 행군 훈련을 하는 데도 A급으로 갈아입고 나오라고 했다. 도중에 민간인들 많이 지나친다고 말이다. 이 정도면 애절한 짝사랑이다. 상대는 신경도 안 쓰는 데 때 빼고 광내고.

다른 아저씨들은 아저씨들이다. 그런데 부랴부랴 트럭에 올라탄 나는 어떤가. 조금 전까지 탄띠를 차고 소총을 들고, 어쩌면 다시 한번 멧돼지 가족을 만날지 모를 탄약고 초소에서 경계 근무를 했다. 내 전투복엔 흙먼지와 차량 기름때가 남아 있고, 언제든 노동 현장에 투입될 수 있도록 넣어둔 작업용 목장갑들 덕에 주머니는 볼록했다.

패션의 완성은 얼굴이라지? 얼굴 생김새야 단번에 변할 리 없는 고정값이고 그렇다면 생기라도 가득해야 할 텐데, 내 얼굴엔 생기 대신 허기가 가득했다. 그렇다. 잊지 말자. 취사장에서 나를 애타게 기다리던 근무자용 밥을. 나는 그들을 멀리서나마 바라볼 틈도 없이 그대로 나와야 했다.

삼거리 대로변에서 차는 멈췄다. 인솔 간부와 우리는 여기서 민간 버스를 타고 번화가로 향했다. 그래 봤자 읍내지만 여기선 읍내가 핫플레이스다.

밥도 못 먹은 상태로 급하게 읍내까지 나온 이유는 무엇인가. 우리의 최종 목적지는 도서관이었다. 읍내에 있는 작지만 깔끔하고 이쁜 도서관.

알고 보니 나는 지금 어디 연행되는 게 아니라 특별 외출을 나온 상태였다. 부대에서 각 포대별로 한 명씩 뽑아 민간 도서관으로 보내주는 특별한 일이 생겼고, 우리 포대에선 내가 나가는 것으로 선정된 것이다.

내가 선정된 건 아무래도 우리 포대에서 내가 제일 책을 많이 읽었기 때문이다. 이등병 때부터 연등까지 신청해 가며 책을 읽었고, 휴가를 나가서도 책을 구입해서 들고 왔다. 특별히 할 수 있는 게 없을 땐 책을 읽었고, 그마저도 할 수 없을 땐 수첩에 메모했다. 그러니 '책'을 이야기했을 때 내가 언급되었을 수밖에 없을 것이다.

우리가 간 도서관은 대학교 도서관이나 서울의 교보문고 등에 비하면 아담한 동네 도서관이었다. 하지만 나에겐 별천지였다. 다양한 책들이 구비되어 있는 게 신기하고, 그런 책들이 일괄된 기준으로 깔끔하게 분류된 것도 신기하고, 그걸 이용하고 있는 민간인들도 신기하고, 여기에 아침밥도 못 먹고 더러운 전투복을 입은 채 앉아 있는 나도 신기하고.

어쨌든 이용할 수 있는 시간은 한정되어 있기에, 관심 분야의 책들을 여러 권 들고 와서는 빠르게 훑었다. 어릴 적 맛있는 음식은 아껴 먹을 때가 있었는데, 만약 고급 뷔페에 데려가 30분 만에 먹고 나오라고 했다면 어땠을까. 아끼고 뭐고 신경 쓸 틈도 없이 부랴부랴 입 안에 넣었을 것이다. 지금이 그랬다. 한 글자 한 글자 음미할 틈도 없이 그저 맛있는 책들을 다양하게 체험하는 데 전념했다. 어차피 이 공간을 벗어날 수도 없었기에 이게 내가 할 수 있는 전부였다.

얼마 후 제한 시간이 끝났고, 우린 도서관 밖으로 나왔다. 부랴부랴 부대 밖으로 나왔지만 우린 금세 다시 부대로 복귀해야 했다. 그래도 참 감사했던 게, 당시 인솔 간부는 우리를 중국집에 데려가 짜장면에 탕수육까지 시켜서 먹였다. 허허허. 미안하다. 취사장에 있던 근무자용 밥은 잊은 지 오래다. 같이 근무했던 선임이 알아서 처리했겠지 뭐.

마음의 양식에 이어 위장이 일용할 양식까지. 짧지만 강렬했던 날이다. 이래서 평소에 책을 읽어야 한다. 책이 밥 먹여 줬다.

군대만 아니었다면 미라클모닝이겠지

한겨울의 행복은 어디에 있는가. 산 정상에 오르면 누릴 수 있는 설경에서? 레저와 휴식을 한 번에 즐길 수 있는 고급 스키장에서? 온몸을 따스하게 녹여주는 해외 온천 여행에서? 모두 각자의 행복이 있겠지만, 내게 겨울 행복은 그리 먼 곳에 있지 않다. 두꺼운 이불을 덮은 채 따따한 방바닥에 누워 시장 검은색 봉다리에 무심히 담아온 귤 몇 개 까먹는 일. 그 순간의 아늑함은 더할 나위 없다.

분명 내게 겨울 행복은 그리 멀지 않은 곳에 있다. 하지만 지금 나에겐 멀어도 드럽게(?) 멀리 있다. 여긴 군대다.

이른 아침, 눈을 뜸과 동시에 거대한 애벌레 같은 침낭에서 기어 나와 옷을 갈아입는다. 각을 잡아가며 침구류를 정리하고 곧바로 건물 밖으로 나간다. 아침 점호다. 들숨엔 코

털이 얼고 날숨엔 허연 입김이 피어오른다. 그럼에도 움츠린 몸을 깨워 국군도수체조를 하고, 종종 전투복 상의를 벗은 채 구보를 한다. 때론 러닝셔츠까지 벗게 하는 당직 간부가 있는데, 맨손 체조에 이은 (반)맨몸 달리기 세트다. 비록 내 소소한 겨울 행복은 갖다 버렸지만, 군대만 아니었다면 초초초 미라클모닝이다.

#미라클모닝 #자기관리 #운동하는남자 #평일일상
#좋아요반사

한겨울의 어느 수요일. 어김없이 미라클한 모닝으로 하루를 시작했다. 든든히 아침밥을 먹고 주머니에 꽂아 넣은 작업용 목장갑을 재차 확인하며 오늘 하루도 무사히 넘어갈 수 있길 기대했다. 본격적인 일과에 앞서 잠시 숨을 고르는 순간, 행정반에서 나온 간부 한 명이 나를 불렀다.

"빨리 일계장으로 갈아입어."

이유를 충분히 설명하고 맥락을 이해시킨 뒤 업무를 요청하기 vs. 일단 시켜놓고 이유를 알게 하거나 아니면 그냥 이유 없음을 느끼게 하기.

당시 내 상황은 후자에 가까웠다. 나는 영문도 모른 채 급하게 다시 A급 옷으로 갈아입었다. 아직 내가 꼬치꼬치 이유를 물을 짬이 아니다.

그럼에도 이 일이 최소한 그냥 이유 없이 진행되는 건 아니라는 건 곧바로 알 수 있었다. 간부가 나를 데려간 곳은 지휘통제실이었으니까. 그리고 그곳엔 우리 부대의 가장 높은 간부들이 모두 모여 있었다.

엄숙한 분위기. 하지만 그 분위기를 누그러뜨리고 가장 밝게 나를 반겨준 건 막내 간부도, 내가 가장 자주 보는 직속 간부도, 우리 포대의 간부도 아니었다. 대대 최고 간부인 대대장이었다.

'혹시 영상 작업을 한 게 있어서 그럴까? 비록 이 작업을 하면서 직접 소통한 적은 없지만.'

음. 어쩌면 그 과정이 영향이 있었을지도 모른다. 비록 사병 중 한 명일 뿐일지라도, 어쨌든 영상 작업을 하면서 이름이 한 번이라도 더 언급되었을 테니까.

하지만 오늘 내가 이 자리에 온 이유는 다른 데 있었다. 굳이 일계장으로까지 옷을 갈아입고 온 건 표창장 수여식이 있었기 때문이고, 그 표창장을 받는 사람이 나였고, 내가 표창장을 받는 이유는 독서 때문이었다.

나는 누가 봐도 독서를 열심히 하는 사람이었다. 덕분에 부대 밖으로 도서관도 다녀온 적이 있지 않나. 그런데 내가 열심히 책을 읽는 것과 이렇게 대대장이 반겨주면서 표창장까지 주는 것에 무슨 연관성이 있는가. 내가 열심히 독서를 하는 것만으로도 우리 부대의 군사력이 증진되는가. 이 의문을 풀기 위해선 다시 과거로 돌아가야 한다. 대대장과 처음 만났던 때로.

내가 처음 대대장을 만난 건 자대 배치 후 가진 면담회였다. 그때 대대장은 각자 자기만의 목표를 가지라고 말씀하셨고, 난 무슨 바람에서였는지 현실성이 부족한 목표를 당당히 외쳐버렸다.

"5개월 내로 책 50권을 읽고 그 결과를 보고하겠습니다!"

사람들은 연말 연초에 새해 계획을 세운다. 그리고 그중 많은 계획은 소리 없이 사라진다. 자신만의 계획은 자신만 잊고 합리화하면 그만이다. 비록 조금의 자책은 남겠지만.

하지만 내 독서 계획은 더 이상 나만의 계획이 아니었다. 당당히 타인에게, 그것도 군대라는 조직 안에서 내가 속한 부대의 최고 직속상관에게 선언을 해버렸다.

사실 대대장의 입장에선 그냥 듣고 넘어갈 이야기였을 가능성이 높다. 수시로 들어오는 신병 중 한 명의 스쳐 지나가는 다짐 중 하나였을 테니까.

그럼에도 난 이 목표를 반드시 지켜야 한다고 생각했다. 딱히 누가 진행 과정을 점검하는 것도, 중간 결과를 보고받는 것도 아니었다. 어느 누구도 압박감을 주지 않았고 책임을 논하지도 않았고 아예 관심조차 없었다.

대신 나는 안다. 내가 진심으로 최선을 다했는지 현실을 핑계 삼아 도망쳤는지를 나는 안다. 비록 남은 군 생활의 끝이 보이지 않는 입장이지만, 그렇기에 더더욱 벌써부터 스스로 포기하는 습관을 들이고 싶지 않았다. 그 습관이 내 남은 군 생활 전체를 잡아먹게 놔두고 싶지 않았다.

쉽지 않았다. 그럼에도 결국 "5개월 동안 책 50권 읽기"라는 첫 목표를 달성할 수 있었다. 5개월의 마지막 날에 50번째 책의 마지막 장을 덮었다. 그리고 상대가 신경을 쓰고 있든 아니든 심지어 기억하고 있든 아니든, 어쨌든 약속한 대로 그 결과를 보고했다.

사실 보고라고 해서, 당시 내가 자유롭게 대대장실에 찾아갈 수 있는 상황이 아니었다. 보고에도 엄격한 체계가 있는 게 군대 아닌가.

우선 편지를 썼다. 대대장에게. 첫 면담에서 이런 계획을 말씀드렸었고 약속대로 그 결과를 보고드린다며 그동안의 내 독서 목록을 차례대로 적었다.

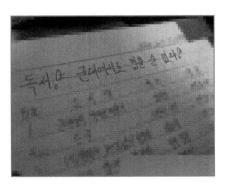

◀

책 한 권을 읽을 때마다 간단히 기록을 남겨 두었다. 덕분에 독서 목록을 보고할 수 있었다.

부대에는 '사랑의 우체통'이 있었다. 대대장에게 직접 메시지를 보낼 수 있는 작은 편지함이다. 간단히 메모지에 적든 편지를 쓰든 그냥 하고 싶은 말을 적어 우체통에 넣어 두면 된다. 익명으로 작성할 수 있기에, 대대장에게 특별히 하고 싶은 말이 있거나 혹은 부조리 및 가혹행위로 인한 고충을 신고할 때도 사용할 수 있다. 아무래도 후자의 목적이 더 강했을 것이다. 실제 과정과 효과는 내가 잘 모르지만 어쨌든 취지는 그랬다.

내가 사랑의 우체통에 무언가를 슬쩍 집어넣는 장면을 누군가가 목격한다면? 그리고 이게 알려진다면? 내 바로 위 선임들은 물론 간부들까지도 잔뜩 긴장하며 난리가 날 것이다. 나로선 굳이 그런 긴장감을 일으킬 필요가 없었다. 그리고 어차피 아직 계급이 낮아 자유시간에 생활관 밖으로 마음껏 돌아다닐 수도 없었다. 다른 건물로 갈 땐 2인 1조가 필수였다. 분대장을 통해 직속 간부에게 자세한 배경을 말했고, 선임 한 명과 함께 우체통에 가서 편지를 넣고 왔다.

사실 생각해 보면 안타까웠던 게, 나야 다른 뜻이 없었기에 그냥 보고할 대로 보고하고 다녀왔지만, 혹시 진짜 대대장에게만 어떠한 고충을 보고할 수밖에 없는 이등병이 있었다면 어땠을까. 보는 눈이 많은 공동체 생활 속에서 편지를 쓰는 것도 어려웠겠지만, 그걸 사랑의 우체통에 넣는 과정도 쉽지 않았겠다는 생각이 든다.

어쨌든 이렇게 무사히 보고를 마쳤는데, 스스로 약속을 지켰다는 뿌듯함이나 큰 과제를 하나 해냈다는 시원한 성취감

등은 어느새 희미해진 지 오래였다. 우체통에 편지를 넣은 지도 어느새 3개월이 지났기 때문이다.

그런데 내가 지금 표창장을 받게 된 건, 그 3개월 전의 편지 때문이었다. 실제로 대대장은 내가 보낸 편지를 읽었고, 자신만의 목표를 세우고 이렇게 약속을 지킨 점이 감명 깊었다고 말했다. 그동안 부대에 있지도 않던 '독서왕'이라는 제도까지 새로 만들어 3박 4일의 포상 휴가와 함께 표창장을 주었을 만큼. 게다가 아예 내 사진까지 넣어 '1대 독서왕'이라는 민망한 명칭과 함께 액자로 만들고 부대 도서실에 걸어두자는 말도 했는데, 다행히도 이 민망한 아이디어는 아이디어에서 그쳤다.

표창장을 받아 들곤 다시 생활관으로 돌아왔다. B급 전투복으로 갈아 입고 어김없이 각종 작업과 근무에 불려 다녔다. 딱히 달라질 건 없었다. 여전히 눈치로 바쁘고 몸으로 피곤한 일상이었다. 그럼에도 내 마음은 풍요로웠다. 정말 미라클한 모닝이다.

군대에서 책 100권 읽고 얻은 건

．

군대에서 독서한다는 게 쉬운 일은 아니었다. 아쉬운 점도 많았다. 다른 걸 다 떠나서, 일단 책 자체로만 보자.

부대 내에는 책이 다양하지 않았고, 신간이 수시로 보충되는 것도 아니었다. 규모가 큰 상급 부대라면 조금 더 나을지 모르겠지만 그렇다고 크게 다르진 않을 것이다. 애초에 군대는 학술기관이 아니기 때문이다. 게다가 내가 있던 곳은 전방에 위치한 하급 부대다. 그나마 새로운 책이 눈에 보일 때가 있었는데, 그건 전역하는 사람이 자기가 갖고 있던 책을 두고 떠나는 경우였다. 물론, 이건 아주 드문 일이었다. 부대 안에 자기 책을 가져오는 사람 자체가 많지 않았으니까.

처음 50권을 목표로 삼고 책을 읽을 때였다. 당시 벌레가 날아다니는 컨테이너 생활관 2층 한구석에 조그마한 책장 2

개가 있었고 여기에 얼마의 책들이 모여 있었다. 나에겐 그나마 군대 밖의 지식을 접하고 읽는 재미를 느끼고 독서를 이어갈 수 있는 통로였다. 그럼에도 한계를 느낀 건 얼마 지나지 않아서였다. 아무리 뒤져봐도 더 이상 내가 읽고 싶은 책들을 찾을 수 없는 것이다. 간혹 눈에 띄는 흥미로운 책이 있다면 그건 내가 이미 읽은 책이었다. 그만큼 책이 제한적이었다.

하지만 이런 부족한 환경이 오히려 내 독서에 도움을 준 면도 있었다. 당시 내가 주로 관심을 두었던 장르는 '자기계발', '경제경영'이었는데, 책이 부족하다 보니 평소라면 읽지 않았을 책도 읽게 되었다. 자연과학, 역사, 소설, 수필, 심지어 밖에선 아예 손도 대지 않던 시집까지. 책이 한정되었기에 오히려 다른 장르에도 관심을 두고 체험할 수 있는 기회를 얻었다. 단점이 장점이 된 것이다.

대대장과 약속한 독서 계획을 달성한 이후로는, 양적인 독서보다는 질적인 독서로 관점을 전환했다. 그리고 조금씩 내가 관심이 있는 책들을 구하기 시작했다.

특별한 방법이 있었던 건 아니다. 음, 어쩌면 군 생활을 하며 열심히 독서하려는 마음가짐 자체로도 이미 충분히 일반적이지는 않았을지 모르겠다.

휴가를 나가서는 대형 서점에 들러 책을 둘러보고 필요한 책을 구입했다. 그중 하나가 비록 플래시 책이었지만 말이다.

어쨌든 이렇게 구한 책 몇 권을 부대 안으로 가져올 수 있었다. 대신 외부 서적을 반입할 경우엔 반드시 담당자에게 보안성 검토를 받아야 했다. 최종 승인을 받고 나서야 책을 돌려받을 수 있는데, 이때 승인을 받은 책에는 "검토필"이라는 도장이 찍혀 있다. 만약 보안 검열 시 검토필 도장이 없는 책을 소지하고 있다가 걸리면 문제가 된다. 당시엔 내 소중한 책에 "검토필"이란 알 수 없는 도장이 찍히는 게 마음이 들지 않았는데, 지금은 오히려 재밌는 추억으로 남아 있다.

◀ 보안성 검토의 흔적

어떤 휴가 때는 아예 내가 다니던 대학교 도서관에서 책들과 함께 밤을 보내기도 했다. 당시 부모님 집이 비수도권에 있어, 서울로 올라와 놀 때면 찜질방이든 친구 집이든 반드시 숙소를 잡아야 했다.

이 날은 학교 도서관이 밤샘 독서의 장이자 휴식 공간인 셈이었다. 다음날, 열람실에서 나와 새벽의 공기와 빛을 맞이할 때의 낭만이 아직 기억난다. 분명 야간 경계 근무를 나갈 때의 그것과 매우 달랐다.

분명 무언가를 하기에 제한된 조건이 있다. 하지만 그 안에서라도 자신의 뜻을 잃지 않으면 조금씩이라도 길은 열린다. 각자 처한 환경이 다르지만, 중요한 건 지금의 조건에서라도 자신의 길을 가는 것이다.

일단 부대 안에 있는 책이라도 읽기 시작했고, 부족한 책은 휴가를 나가서 구해 오기도, 한 번씩 다른 부대원이 갖고 있는 책을 빌려 읽기도 했다. 물리적으로도 사회적으로도 맘 편히 책을 읽을 환경은 아니었지만, 그럼에도 끈을 놓지 않았다.

부대 안에서의 경험을 통해, 이런 환경에서도 나는 꾸준히 책을 읽을 수 있는 사람이라는 자기인식과 자신감을 얻었다.

어떤 일을 함에 있어 '시간 부족'보다 중요한 건 결국 마음의 '우선순위'임을 알게 되었다. 그리고 제대하는 순간, 내 독서 목록에는 104권의 책이 적혀 있었다.

독서의 관점을 확장하라

향후 진로에 대한 고민이 많았다. 아직 내가 무엇을 좋아하고 잘하는지, 앞으로 어떻게 살 것인지 알 수 없어 방황했다. 명확한 목표나 꿈도, 구체적인 진로 계획도 없었다. 그 상태로 군대에 왔다.

입대 전까진 어쨌든 일단 군대부터 다녀오고 보자는 핑계가 있었지만, 전역을 하는 순간 그 핑곗거리는 사라진다. 그렇기에 군 복무기간에 받는 무형의 압박감이 컸다. 어쩌면 더 이상 도망갈 곳이 없을지도 모른다는, 지금이 방황의 마지막이어야 한다는 그런 부담감.

이런 나의 고민과 달리, 내가 온 곳은 진로 교육 기관이 아니었고 며칠이면 끝날 어린이 병영 체험 캠프도 아니었다. 국방의 의무를 수행하기 위한 실제 군대다.

그렇다고 누가 알아서 내 진로 고민을 대신 해결해 주는 건 아니었다. 어쨌든 내 인생이다. 비록 명쾌한 답이 보이지 않을지라도 계속해서 탐색해야 했다. 그 과정에서 분명 배우고 얻는 게 있을 테니까.

독서는 이때도 도움이 되었다. 직접 현장에 가지 않고도 다양하게 간접 체험하고 탐색하는 데 유용한 수단이기 때문이다. 그리고 군대 안에 있는 내가 할 수 있는 거의 유일하고도 최선인 선택이기도 했다.

대학 전공이 공학이었지만 그렇다고 내가 이공계의 순수 기술자나 연구원이 되진 않을 것 같았다. 특별히 이거다 싶은 분야는 없었지만, 일단 내 전공에 엄청난 흥미를 느끼지 못하고 있다는 건 확실했기 때문이다.

그렇다고 내가 사업을 한다거나 전문직이 될 거라는 생각도 들지 않았다. 어쨌든 일단 회사는 다닐 것 같았기에 한 번쯤 경영학을 알아보면 좋지 않을까 싶었다. 당시로선 그게 내 최선의 판단이었다.

딱히 답을 구할 곳도 없어 일단 부대 내 도서실로 갔다. 책장 왼쪽 위 끝부터 하나씩 도서 제목을 살피던 중, 운이 좋게도 책 한 권을 발견했다. 대학교 경영학 교재였다. 경영학도 3, 4학년보다는 1, 2학년이 경영학에 대한 이해를 높이는 데 사용할 만한 책이었다. 아마도 경영학과 출신의 누군가가 전역하면서 놔두고 간 게 아닐까.

아무것도 모르는 나에겐 전공 심화 도서 같은 건 아직 필요 없었다. 오히려 초심자의 이해를 위해 넓은 주제를 얕게 살피는 책이 필요했다. 출간일을 보니 최신 책은 아니지만 이것만 해도 나에겐 그저 감사한 일이었다.

조금은 긴 자유시간이 있을 때나 연등을 할 때마다 조금씩 조금씩 책을 읽어 나갔다. 어렵고 큰일을 마주할 때면 우리 몸과 마음은 긴장과 불안을 일으킨다. 이럴 땐 과제를 쪼개거나 난도를 낮춰 심리적 저항감을 줄여야 한다. 한 번에 경영학을 마스터한다는 생각은 일찌감치 내려뒀고, 처음엔 그냥 가볍게 훑어본다는 마음으로 접근했다. 이후 단원을 세부적으로 나눠 내가 할 수 있는 만큼 조금씩 조금씩 살펴보기로 했다.

반복해서 책장을 펼치며 일단 대학 교재 특유의 두꺼움에 친해졌고, 그 뒤 조금 더 집중해서 공부해 보기로 했다. 그나마 '기업과 경영', '경영학의 기초'와 같은 단원들은 읽을 만 했다. 반면 '재무관리', '재무회계' 등은 혼자서 공부하기가 쉽지 않았다. 이래저래 숫자들을 굴려보고 돈의 흐름을 머릿속에 그려봐야 하는데, 머리가 굳은 건지 고도로 집중할 수 없는 상황이란 그런 건지 '재무'나 '회계'란 단어에 부담감을 느낀 건지, 이게 영 되지 않았다. 어쩌면 스스로 벽을 세웠는지도 모른다.

하루는 내가 경제에 대해서도 아는 게 너무 없다는 생각이 들었다. 내가 경영학을 탐색하고 있고 한 번씩 경제경영서를 읽지만, 분류상 경제경영서일 뿐 대부분 '경제'는 없고 '경영'만 있었다. 이번엔 경제학도 한 번 훑어보기로 했다.

모든 도전이 반드시 성공하는 건 아니지만, 진실로 도전한다면 그 과정에서는 반드시 경험과 배움을 얻을 수 있다. 경영학 교재를 읽으면서 느낀 게 있는데, 사실 대학 1학년 책일지라도 그 책은 어쨌든 대학 교재라는 것이다. 결코 쉬운책이 아니다. 대학 1, 2학년 책이 쉬웠다면 내 지난 학점이 낮을 리가 없다.

이번에도 교재로 접근했다. 대신 대학교가 아닌 고등학교교과서였다. 사실 내가 대학교 휴학생이라 그렇지, 얼마 전까지만 해도 고등학생이었지 않은가.

그리고 이건 30대인 지금도 변함없는 생각인데, 고등학교교과서엔 그 분야의 방대한 지식이 담겨 있다. 당장 시험 점수 때문에 정신없이 공부해서 그렇지, 돌아보면 정말 엄청난 내용들이다. 여기에 담긴 내용을 제대로 알기에도 아주 벅차다. 비록 성인일지라도 만약 관심 있는 분야가 있다면 중고등학교 교과서부터 다시 공부해 보는 것도 좋은 방법이다. 물론 이번엔 단순 점수 내기가 아니라 실제 필요와 호기심에서. 이렇게 시작한 공부는 억지 공부와는 차원이 다르다.

성인이라고 청소년의 책을 펼치는 게 부끄러운 게 아니다. 청소년이라고 어린이의 책을 펼치는 게 부끄러운 게 아니다. 《논어》에 "불치하문(不恥下問)"이라는 말이 나온다. "아랫사람에게 묻는 것을 부끄럽게 여기지 않는다"라는 뜻이다.

혼자 전국 여행을 하던 중 우연히 가족과 여행을 오신 한 남성분을 만난 적이 있다. 당시 나에게 디지털카메라 사용법을 묻고 몇 가지를 배우셨는데, 나중에 알고 보니 그분은 우리나라 명문대에서 강의하시는 분이셨다. 나 역시 카메라에 대해 그다지 아는 게 없다. 그래도 내가 조금 더 안다는 사실로 인해 그분은 열심히 내 이야기를 듣고 배우셨다. 그분에게서는 공부 좀 한다는 분들에게서 느껴지는 우월감이나 권위감을 찾기 어려웠다.

모르는 게 있으면 물어보면 되고, 모르는 분야가 있다면 기초부터 차근차근 시작하면 된다. 독서 역시 그렇게 시작하면 된다. 남과 세상이 정한 기준과 잣대에 상관없이, 자신의 수준에 맞게 자신의 흐름에 따라 읽으면 된다.

독서라는 게 꼭 무언가를 집대성한 한 권의 책이어야만 하는 것도 아니다. 관점을 확장해 '읽는 행위'로 보자. 그렇다면 내가 읽고 배울 수 있는 것들은 수두룩하다.

당시 난 이렇게 다양한 책을 읽고 관심 분야의 책을 공부하는 것도 좋지만 한 가지 아쉬운 점이 있었다. 내가 접할 수 있는 책들은 전부 과거의 기록들이고, 지금 돌아가는 사회의 흐름은 파악할 수가 없다는 것이었다.

사회의 흐름이라고 해서 뭐 대단한 통찰을 말하는 게 아니다. 지극히 대학생의 관점에서 그냥 지금 또래들은 어디에 관심을 두는지, 사회의 20대에겐 어떤 일들이 벌어지고 있는지, 취업준비생들은 무엇을 하고 있는지 등이 궁금했다. 인류의 거대한 흐름을 바라볼 수 있는 눈을 가질 수 있다면 좋겠지만, 일단 당장 부대 밖도 자유롭게 보지 못하는 게 내 현실이기 때문이다.

지금과 달리, 당시 우리 부대에선 인터넷을 사용할 수 없었다. 내가 전역하기 전에 인터넷이 들어올 거라는 생각도 들지 않았다. 인트라넷조차 이용할 권한이 나에게는 없었다. 그나마 외부 소식을 접할 채널인 TV는 주로 연예인 이야기를 보는 용도로 사용되었고, 가끔 들어오는 국방일보에는 내 관심사와 먼 이야기들이 대부분이었다. 휴가를 나가서야 인터넷을 뒤져보고 서점에도 방문했지만, 휴가 시간은 왜 그리도 빨리 흐르는 걸까. 시간은 상대적이라는 아인슈타인의 이야기를 난 몸소 체험했다.

뭔가 다른 방법이 필요했다. 그때 찾은 방법이 주간지였다. 당시 대학가엔 무료 주간지가 배포됐다. 매주 발행되기에 비교적 최신 정보를 담고 있었고, 게다가 애초에 대학생 대상의 주간지였기에 나에게 필요한 정보들도 많았다.

고맙게도 지인이 틈틈이 이를 모아서 나에게 챙겨줬고, 나역시 휴가를 나갈 때마다 이들을 따로 구해서 살폈다. 덕분에 앞으로 복학하면 어떻게 대학 생활을 보낼 것인지 그림을 그려볼 수 있었다. 실제로 입대 전과 후 내 대학 생활의 성격은 많이 달라졌다. 물론 군 복무 중엔 전역이란 과연 언제 오는 것인지 막막하긴 했고, 일부 선임들은 그런 일이 오긴 오냐며 놀려대곤 했지만.

사회의 흐름을 파악하기 위한 또 다른 방법이 하나 더 있었는데, 그건 월간지였다. 경영혁신을 주제로 하는 월간지가 있었는데, 이를 받아 보면 도움이 될 것 같았다. 이후 군 사서함을 배송지로 하여 월간지로 구독했다. 이렇게 해놓자, 휴가 때마다 사 올 필요도, 면회 오는 누군가에게 부탁할 필요도 없이 매달 내가 있는 부대로 월간지가 배송됐다. 당연히 구독하기 전에 미리 부대에 승인받았고, 잡지가 올 때마다 보안 검토를 받았다.

이 글을 쓰는 지금은 부대 안에서 일정 시간 내에 스마트폰 사용이 가능하다고 알고 있다. 독서의 관점을 넓히자. 그럼 제한된 환경 안에서도 다양한 방법을 통해 무언가를 읽고 배움을 얻을 수 있다. 그리고 그 배움은 분명 지금의 나에게도, 그리고 훗날의 나에게도 도움이 된다. 계속해서 성장의 씨앗을 심자.

자기계발 시간이 얼마나 될까

앞서 TV와 연예인 이야기가 나와 말인데, 군 생활 중 아이돌에게 감사한 순간이 있었다. 내 군 생활에 정말 큰 힘이 되곤 했다.

다만 그건 내가 아이돌을 보며 꿈과 희망을 얻어서도, 그 시간만큼은 군 생활의 고충을 잊고 즐거움을 얻어서도 아니다. 대세 여자 아이돌의 전주 음이 흘러나오는 순간, 대부분의 장병들이 TV 앞으로 뛰어 들어갔기 때문이다. 계급 낮은 내가 그나마 선임들 눈치를 덜 보며 전화할 수 있는 순간이었다. 때론 전화 부스에 나 혼자 있는 기적도 벌어졌다.

아이돌의 영향력이 허풍일 것 같지만 군대에선 그게 가능했다. 그리고 당시 나온 음악이 원더걸스의 〈Tell me〉였다. 텔미는 더더욱 그게 가능했다. 전 국민이 춤추고 따라 부르며 그 대중적 인기가 뉴스에 나올 정도였으니.

TV가 많은 장병들의 시선을 끌어모아 준 덕분에 내가 전화기를 이용할 수 있는 가능성이 높아졌지만, 군대에서 자기계발하려는 사람에게는 TV를 벗어나길 권한다. TV는 도구다. 누가 어떻게 사용하냐에 따라 TV 역시 성장과 발전에 충분히 활용할 수 있다. 다만 군대에서의 TV는 선택권이 자유롭지 않다. 그러니 능동성을 잃고 자칫 멍하니 시간을 때우는 용도로 사용하기 쉽다.

지금은 TV 외에 스마트폰이 그 역할을 대신할 수도 있다. 잘 활용한다면 외부의 정보를 습득하고 스트레스를 풀고 소중한 사람과 연락하는 데 사용할 수 있다. 중요한 건 주도권이 어디에 있는가다. 같은 도구를 사용하더라도 능동적인 사용자가 되는 것과 수동적인 소비자가 되는 것은 다르다. 내가 부대 안에서의 TV 시청을 권장하지 않는 것도, 지금의 나 역시 스마트폰 사용의 빈도를 줄이려고 하는 것도 모두 무분별한 소비자가 되지 않기를 바라기 때문이다.

부대 안에서는 각종 임무와 근무가 우선이기에, 아무래도 개인이 자유롭게 사용할 수 있는 시간이 많지 않다. 제공되는 자유시간이 있지만, 그게 확실히 보장된다고 보기는 어렵다. 언제든 전투준비태세를 갖춰야 하는 게 군인이기 때문이다.

따라서 군대에서 자기계발시간을 확보하고 싶다면, 우선 내가 낭비하는 시간부터 줄여야 한다. 일반적으로 그게 TV와 스마트폰 사용 시간이다. 나 역시 군대에 있을 때 TV를 멀리했다. TV에서 얻는 즐거움 대신 나를 위한 투자의 즐거움을 선택했다.

일단 낭비하는 시간을 줄였다면 이제 그다음, 내가 군대에서 확보할 수 있는 자기계발 시간은 어느 정도일까. 계급과 부대별 특성은 배제하고 어느 정도 평균을 고려하면 이렇다.

첫째, 식사 전후 휴식 시간이다. 보통 식사 시간은 1시간이다. 밥을 먹고 돌아오며 간단히 개인 정비와 청소, 다음 작업 준비 등을 한다. 그렇게 각자 기본적으로 해야 할 일들을 끝낸다면 나머지 시간은 휴식을 취할 수 있다. 비교적 계급이 높다면 그 시간이 길고 계급이 낮으면 그만큼 짧아질 수 있다. 대략 평균을 내본다면 20분 정도의 여유가 생긴다. 그렇게 긴 시간이 아니고 집합을 준비하고 있어야 하니, 고도의 집중력을 요하는 공부보다는 휴식과 병행할 수 있는 간단한 독서나 운동, 반복 암기 등으로 활용할 수 있다.

둘째, 평일 자유시간이다. 모든 일과(작업)와 저녁 식사를 마쳤다. 야간 근무 시간을 확인하고, 근무자 신고를 하거나 집합을 한다. 그후 당직 간부로부터 전달 사항을 받고, 특별한 일이 없다면 전체 자유시간을 갖는다. 간단한 정리, 빨래, 전투화 닦기, 목욕 등 개인 정비만 마친다면 나머지 시간은 자유롭게 활용할 수 있다. 대략 1시간 정도다. 이때는 좀 더 긴 시간을 확보할 수 있기에, 개인적으로 하고 싶은 공부를 하거나 헬스나 조깅 등의 운동을 해도 좋다.

셋째, 연등 시간이다. 이건 아예 안 될 수도 있고, 하더라도 정해진 시간이 부대마다 다를 수 있다. 내 경우 최대 12시까지만 허락받을 수 있었다. 만약 이 시간에 근무만 없다면 하루 2시간을 추가 확보할 수 있다. 비록 고된 일과로 많이 피곤하고 졸리지만, 그래도 비교적 다른 사람 눈치 덜 보면서 활용할 수 있는 귀한 시간이었다. 일단 조용하기도 했고, 언제 누가 부를지 모른다는 긴장감을 그나마 많이 내려놓을 수 있는 시간이었기 때문이다. 따라서 연속적인 시간이 필요한 공부나 일을 이때 집중적으로 처리하면 좋다. 다만 반드시 잊지 말아야 하는 게 있다. 연등을 한다면서 잠을 줄여놓고, 그로 인해 피곤하다며 경계근무 시간이나 작업 시간에 졸면 안 된다.

이렇게 식사 전후 휴식 시간과 자유시간, 그리고 연등 시간을 합친다면 하루에 4시간을 확보할 수 있다. 물론 이런 시간 확보가 힘든 훈련, 검열 등의 기간이 있다. 다만 이를 좀 더 많은 시간을 확보할 수 있는 주말과 휴가로 상쇄한다고 가정해 보자. 하루 4시간씩 1년 반을, 자신을 위해 투자한다면 "4시간 X 18개월 = 2,190시간"이 나온다. 만약 2년이라면 2,920시간"이다. 하루하루는 별거 아닐지도 몰라도, 이렇게 모아보면 상당한 시간이다.

이건 어디까지나 산술적인 계산이다. 사람이 쉴 시간도 필요하고 먹고 놀고 즐기며 기분을 전환할 시간도 필요하다. 자기계발이라는 이름으로 꼭 그렇게 강박적으로 애쓸 필요는 없다. 게다가 시간으로는 자유시간이지만 공간으로는 부대 안이기에 말처럼 그리 자유롭지만은 않을 것이다.

중요한 건 이런 상황임에도 불구하고 내 시간을 의식적으로 활용해 보는 연습을 하는 것이다. 꼭 부대 안에서 대단한 성과를 이뤄내거나 스펙을 쌓아야만 하는 건 아니다. 완전히 낯선 군 생활을 잘 해낸 것만으로도 한 인간의 성장에 있어 충분히 값진 일이지 않나.

　내가 삶을 대하는 태도를 익히는 것, 또 다른 관점으로 삶을 바라보는 것, 당장 결과가 보이지 않더라도 내 현실을 꾸려가는 연습을 하는 것. 이게 젊은 날에 필요한 진짜 자기계발이다. 억지로 애쓸 필요는 없다. 대신 자신을 발전시키는 일종의 실험이길 바란다. 그 안에서 재미와 의미를 찾을 수 있다면 더욱 좋고.

비록 지금 아쉽고 힘들더라도

자대 배치를 받았을 때 나는 실망했다. 내가 속한 사단은 서울 위에 길게 펼쳐져 있었는데, 하필이면 그중 '시'에 속한 부대는 다 건너뛰고 '리' 단위의 전방 부대에 배치됐기 때문이다.

자대 배치 후 처음 우리 부대 안으로 들어섰을 때, 나는 한 번 더 실망했다. 부대 주변은 완전히 시골이었고, 부대 생활관 건물은 낡고 규모도 작았다.

그 안에서도 타 포대들과 달리 유일하게 연탄 창고를 개조한 생활관을 쓰고 있는 곳으로 배정되었을 땐, 이젠 실망이고 뭐고 할 거 없이 정신 바짝 차려야겠다는 생각이 가득했다. 더 이상 실망했다간 내가 무너질 것 같았다.

볼품없는 시설에서의 군 생활은 당연히 열악했다. 봄을 지나 여름을 앞둔 시기에도 밤이면 온풍기를 틀어야 했고, 이런 추위에도 건물 밖에 있는 샤워실과 화장실에 가는 건 용기가 있어야 하는 하나의 도전이었다. 날이 더워도 문제였다. 특히 플라스틱 재질의 1인용 이동식 간이 화장실은 간이 화생방만큼 답답함을 일으켰다. 그나마 다행인 건 내가 똥 푸는 작업에 차출된 적은 없었다는 점이다. 대신 내 바로 위 선임은 그 작업에 끌려갔다.

그 외 각종 벌레가 손쉽게 침입했고, 국가대표 경기가 있어 모처럼 단체 TV 시청을 허용해 줬더니 전파가 잡히지 않아 통신병들이 안테나를 들고 분주히 움직여야만 했다. 비가 오는 날이면 배수 작업을 걱정했고, 어느 날엔 임시로 나무를 끼워 맞춘 단체 관물대가 쓰러진 적도 있었다.

그런데 이상하지 않은가. 왜 같은 부대 안에서도 우리 포대만 이런 시설에 머무는 걸까. 어디 밉보인 거라도 있는 걸까.

그 대답은 곧 현실로 드러났다. 그리고 그 현실은 내게 행운이었다.

우리 포대가 괜히 이상한 곳에 머물고 있던 게 아니었다. 알고 보니 내가 자대 배치를 받기 전, 원래 우리 포대 건물이 있던 장소는 따로 있었다. 모종의 계획으로 그 건물을 모두 허물고 잠시 연탄 창고를 개조한 생활관으로 옮겨온 것이다. 그럼 왜 굳이 기존의 건물을 허문 걸까. 바로 신막사를 짓기 위해서였다. 대대의 모든 사람들이 들어가 생활할 수 있는 다층 짜리 신식 건물.

내가 아직 일병이었던 어느 달의 첫날, 우리는 신막사로 이주했다. 사병들이 생활하는 방의 규모는 3배 이상으로 늘어났고, 그만큼 한 명당 차지할 수 있는 공간이 넓어졌다. 더 이상 평상 같은 곳에서 줄줄이 소세지처럼 몰려 잘 필요가 없었다. 1인당 1침대와 1관물대가 제공됐기 때문이다. 더이상 재래식의 이동식 화장실을 사용하지 않아도 되었고, 샤워를 하고 화장실을 가기 위해 건물 밖으로 나설 필요가 없었다. 새로운 세탁기가 들어왔고 탁구대가 생겼고 늘어난 방마다 TV가 1대씩 제공됐다.

군대는 계속해서 시설과 문화를 개선하고 있었다. 다만 한번에 모든 걸 바꿀 수는 없는 노릇이다. 순차적으로 변화를 진행할 수밖에 없다. 그렇다면 우선순위를 매겨야 하는데, 아무래도 시설이 낙후되고 훈련은 많고 위치상 사병들이 꺼리는 곳 위주로 먼저 개선해야 하는 게 당연하다. 좋은 건지 나쁜 건지 모르겠지만 어쨌든 내가 있던 부대는 이 모든 것에 해당하였고, 마침 신막사 공사에도 선정돼 내가 아직 일 병인 시점에 건물이 완공된 것이다.

세상일이 꼭 내 마음처럼 움직이지는 않는다. 매번 고생하는 사람만 고생하고 무언가 정의롭지 못하게 흘러가는 것처럼 느껴질 때도 많다. 그래도 계속 나쁘지만은 않고 반대로 계속 좋지만도 않을 것이다. 지금 아쉽고 힘들고 슬프더라도 언젠가 좋은 날이 찾아올 때도 있을 것이다. 어쩌면 오히려 전화위복이 될 수도 있을지 모른다.

그러니 나와 내 삶을 완전히 버려두진 말고 일단 잘 버텨보자. 모든 것은 흐른다. 어둡고 깜깜해 보이지 않던 전역일도 어김없이 찾아오는 것처럼.

일을 잘 하면 일을 더 한다고

나는 영상 전문가가 아니다. 미적 감각도 부족한 공대생이다. 그럼에도 어찌어찌 영상 동아리에 들어갔고, 영상을 만들어 내야 하니 어찌어찌 또 영상을 만들어 냈다. 부대 안에는 숨겨진 고수나, 적어도 나보다 더 재능 있는 사람이 분명히 있었을 것이다.

하지만 표면으로 드러난 영상 작업병은 나였다. 영상 작업을 할 수 있다고 알려진 사병은 나였다. 이 말은 곧, 부대 안에 관련 작업이 있을 경우, 그 작업은 반드시 나를 찾아올 수밖에 없다는 것이다.

어느 날 정훈 장교가 찾아왔다. 그는 연극 동아리 담당 간부 역할도 맡고 있었는데, 연극부원들의 활동과 관련된 영상을 제작해야 한다고 말했다. 감사하게도 강압적 지시가 아니라 부드러운 부탁을 해주셨으나, 사실 뭐 나로선 다른 선택지는 없었다. 내가 할 수밖에 없는 상황이니 말이다.

하지만 우리 포대 소속의 작업도 아니었고 대대장 임무도 아니었다. 결국 자유시간을 반납하고 따로 시간을 내어 작업할 수밖에 없었다. 새벽 1시 반까지 작업하고 야간근무까지 서고 나니 정말 온몸이 피곤했다. 뭐 어쩌겠는가. 따지고 보면 내가 선택한 일이다.

그래도 정훈 장교가 내가 이렇게 작업하는 게 고마웠는지, 연극 동아리원들 회식 자리에 나를 끼워주었다. 덕분에 맛있는 음식을 얻어먹었다. 그들의 대화를 들으며 추정해 보니, 아마도 그들이 중요한 프로젝트를 하나 끝냈었던 것 같다. 내가 한 작업은 그 프로젝트를 깔끔하게 마무리 짓는 데 필요한 일이었고.

다행히 내가 만든 작업물로도 충분했는지 이후 크게 더 수정할 작업은 없었다.

나는 분명 아무것도 몰랐던 사람이었다. 제대로 교육을 받지도 못했다. 그래도 어쨌든 해야 한다고 하니 어찌어찌 시행착오를 겪으며 영상을 만들어 냈다. 그런데 이게 또 소문이 퍼졌다. 그것도 조금 변형을 일으켜서 말이다.

어느 날 포대장이 날 부르더니 어떤 이미지 하나를 만들 수 있냐고 물었다. 참고로 난 이미 있는 사진을 조금 보정하거나, 간단한 도형과 글자를 입력하고 재배치할 수 있었을 뿐, 무언가를 완전히 창작할 수 있는 사람이 아니었다. 게다가 내가 다뤘던 건 플래시라는 프로그램이었다. 이번 작업에는 포토샵이 필요했다.

다행히 포대장이 원하는 건 부대원들의 사진을 조합하고 글자에 특수효과만 조금 입히면 어떻게든 만들 수 있을 것 같았다. 게다가 포토샵과 플래시는 같은 회사에서 만든 프로그램이라 어느 정도 사용법에 유사성이 있다.

누구 하나 물어볼 사람도 없고, 인터넷이 안 되니 검색해 볼 수도 없었지만, 이번에도 또 어찌어찌 작업을 완수했다.

나는 분명 주어진 여건 속에서 최선을 다했다. 그럼에도 전문가, 아니 그냥 취미로 하는 사람들의 작품보다 부족한 건 어쩔 수 없었다.

하지만 부대 안에서는 일단 이렇게라도 할 수 있다는 그 자체가 중요했을지도 모른다.

영상 일거리는 점차 사라졌지만 이제 그 자리를 이미지 일거리가 채우기 시작했다. 보고용 부대 시설 사진을 촬영 및 편집했고, 간부들의 사진을 보정했고, 포대 현수막 제작을 위한 이미지를 만들었다.

이게 또 소문이 어떻게 퍼졌는지, 나중엔 아예 다른 포대의 간부가 찾아와 나에게 물었다.

"태화, 네가 그래픽 작업을 그렇게 잘한다며?"

나는 단 한 번도 잘한다고 말한 적이 없고, 단 한 번도 잘된 작품을 만들어낸 적이 없다. 이미 알겠지만, 부대 안에선 이런 게 중요하지 않다. 일단 할 수 있다는 게 중요하다.

그 간부 역시 나에게 작업을 하나 부탁했는데, 이건 지금과는 결이 달랐다. 그가 요구한 건 검열 때 사용할 창고 요도였다. 여기서 요도란 소변이 배출되는 관이 아니라, 일종의 도면이다. 자신이 생각하는 바를 쭉 설명해 주는데, 지금으로 치면 인테리어할 때 사용하는 3D 모델링 같은 게 필요한 느낌이었다.

다시 한번 말하지만, 사람들이 셀카 보정하듯이 난 그저이미 있는 걸 보정하고 편집할 수 있을 뿐 이미지를 완전히새로 만들어낼 수 있는 사람이 아니었다. 유에서 또다른 유를 어설프게 재편집하는 정도다.

하지만 지금 그가 요구하는 건 무에서 유를 창출하는 것이다. 그것도 내가 한 번도 해보지 못한 작업으로,

이런 차이를 설명하려 했지만, 그 간부 입장에선 이런 차이를 알기 어렵고, 정해진 시기까지 이 작업이 반드시 필요하고, 잘 모르겠지만 어쨌든 내가 할 수 있을 것 같긴 하고, 전공자도 아니고 주특기도 아니지만 그렇다고 다른 인력은 없고…. 그렇게 또 이 일은 내 일이 되었다. 프리랜서 디자이너였다면 떼돈을 벌었을까.

아무리 생각해도 포토샵으로 사진 잘라내고 색감 보정이나 하고 글씨 몇 개 집어넣었던 나로선 입체감 넘치는 창고 요도 이미지를 만들어낼 자신이 없었다.

잠시 가만히 앉아 고민하다가, 문득 이런 생각이 들었다.

'어차피 화려한 그래픽의 3D 모델링이 필요한 게 아니지 않나. 여기가 인테리어 리모델링 업체도 아니고 말이야. 입체감이 있되, 검열 시 깔끔하게 창고 물품 현황을 보고할 수 있기만 하면 되잖아.'

그러자 방법이 생각났다. 꼭 포토샵을 사용할 필요가 없었다. 입체감이야 선과 도형의 원근법을 사용하면 충분히 나타낼 수 있고, 그런 선과 도형의 활용은 파워포인트로도 충분히 가능했다. 다행히 창고 안의 물품들도 그리 해괴한 형

태의 것들이 아니었기에 대충 도형의 조합으로 표현할 수 있었다. 그리고 내 입장에선 그나마 학교 발표 시간에 사용해 보기라도 했던 파워포인트가 작업하기에는 더 편했다.

너무 어렵게 생각할 필요가 없었다. 다행히 그 간부는 꽤나 만족을 했고 무사히 작업을 마칠 수 있었다.

참고로 이때는 파워포인트와 같은 컴퓨터 프로그램 자체와 거리가 먼 간부들이 꽤 많았다. 그들이 부족한 사람이어서가 아니다. 시기상 다른 교육과 학습을 받아온 분들이기에 컴퓨터 프로그램에는 거리감이 있을 수밖에 없는 것이다. 그러니 내 어설픈 실력조차 그들에겐 유용한 자원이었던 것이다. 그런 자원이 눈에 들어왔으니 필요한 일이 있을 때마다 계속 나에게 그 일을 맡길 수밖에 없었던 것이고.

평소와 같이 각종 근무와 작업으로 정신이 없던 어느 날이었다. 행정실을 통해 뜻밖의 소식을 들었다. 나에게 포상 휴가가 내려왔다는 것이다.

군인에게 전역 다음으로 가장 큰 선물이 포상 휴가가 아닐까. 그렇기에 포상 휴가가 나올 만한 거리는 잔뜩 관심을 두고 있었는데, 아무리 봐도 내게 포상 휴가가 내려올 이유가 없었다.

이후 진짜 포상 휴가가 확정되어 사유를 알아보니, 연극 동아리에서 어떠한 프로젝트로 좋은 성과를 얻었는데, 내가 그 참여 병사 목록에 들어가 있던 것이다. 정훈 장교가 힘을 써준 것이다. 나는 연극을 한 적이 없고, 기획하거나 대본을 짠 것도 아니지만, 영상 작업을 대신했기 때문이다. 이후 복도에서 씨익 웃으며 인사하는 정훈 장교를 마주쳤는데, 마음을 써준 게 느껴져서 참 고마웠다.

입대하기 전 이런 이야기를 많이 들었다. 군대에선 앞서지도 말고 뒤처지지도 말고 중간만 해라. 뒤처지면 뒤처져서 고역이고, 앞서가면 오히려 더 많은 일을 시켜 고역이라고 했다.

군대뿐만 아니라 다른 조직 생활에서도, 회사에서도 마찬가지다. 일을 잘하는 사람에게 일이 더 간다. 신기하게도 매번 많은 일을 맡아 바빠 보이는 사람에게 계속 일이 간다. 업무량의 부익부 빈익빈이라고 할까.

일하는 사람에게 일어 더 간다는 사실이 어찌 보면 참 불공평해 보인다. 그런데 경험해 보니 그런 사람에게 기회가 더 가는 것도 사실이더라. 물론 내가 한 일과 찾아오는 기회의 양과 질이 항상 정비례하지는 않는다. 하지만 아무것도 하지 않는 자에게 기회가 계속 찾아갈 리가 있을까.

기회가 정확히 어떤 경로로 어떤 시기에 찾아올지는 내가 온전히 알 수 없다. 세상 모든 걸 파악하고 있을 수는 없기 때문이다.

대신 주위를 흘러 다니던 기회가 나에게 올 수 있도록 여러 곳에 문을 열어둘 수는 있다. 그게 당장의 성과와 연결되어 보이지는 않더라도 말이다.

그러니 한 번쯤 조금은 내 이해타산을 내려두고 내게 주어진 일을 해볼 필요가 있다. 계속 이용만 당하는 호구가 되지 않을까 걱정하는 건 그다음에 해도 늦지 않다.

변화를 꿈꾼다면 스스로 변화가 되어라

군대는 기본적으로 통제성이 강한 집단이다. 국가와 국민을 수호한다는 목적으로 만들어진 군사 조직이니 그럴 수밖에 없다.

분명 학교나 동아리에 비해 통제도 강하고 제한도 많고 수직적인 분위기를 갖고 있다. 그래도 결국 사람과 사람이 모여 조직을 이루고 생활하는 곳이다. 그 안의 사람이 어떻게 하는가에 따라 변화는 일어난다.

이등병 시절, 연등 제도가 있다는 사실에 희망을 걸고 선임과 간부에게 허락을 구했다. 연등 시간에 책을 읽고 공부할 수 있는 장소라고 해봤자, 늦은 밤 불길을 보고 찾아온 시골 벌레들이 날아다니는, 컨테이너 생활관 2층 한구석이었다. 그것도 별다른 책상도 없이 푹 꺼진 낡은 소파에 앉아서 말이다.

하지만 그마저도 나에겐 값진 공간과 기회였다. 주어진 기회를 놓치기 싫어 열심히 책을 읽었다. 개인 연등을 하느라 자기 할 일을 못 한다는 소리를 듣기 싫어 일과 시간에 최선을 다했고, 오히려 연등 시간을 활용해 각종 검열과 평가, 군 생활에 필요한 지식을 암기했다. 지적받은 사항이 있거나 스스로 부족하다고 여겨지는 점이 있을 땐, 이를 복기하며 다음에 어떻게 대처할 것인지 시뮬레이션을 돌리고 이미지 트레이닝을 했다.

이등병의 무모한 시도였다. 처음엔 연등을 해도 되겠냐는 보고에 낯설어하는 당직 간부들이 많았다. 규정을 다시 확인하기도 했다.

하지만 시간이 지나자 책 꾸러미를 들고 오는 나를 당연하게 받아주는 간부들이 생겼다. 아직 계급이 낮은 내가 연등을 하려는 사실을 꺼리는 간부도 여전히 있었는데, 그마저도 나중엔 정말 부득이한 상황이 아닌 이상 기꺼이 허락해 주었다.

조금씩 군 생활에 익숙해지면서, 나는 점차 친한 선임들 일부에게 연등을 권장하기도 했다. 아니, 좀 더 사실적으로 말하자면 자신만의 공부를 권장했다. 그게 꼭 연등이 아니

어도 좋다. 자유시간을 활용해 자기 공부를 하고, 부족할 경우 연등이라는 제도도 충분히 활용할 수 있음을 이야기했다.

뿌듯함을 느꼈던 일 중 하나는 연등에 관심을 두고 나를 찾아온 사람이 있었을 때였다. 그것도 선임이 아닌 후임이 말이다. 자신도 군대 안에서 자기계발도 하고 무언가 스스로 투자를 해보고 싶은데, 병장도 아닌 내가 연등을 하고 있으니 여기서 작은 가능성과 희망을 얻은 것이다. 나는 기쁘고 반가운 마음으로 연등 제도와 내 경험에 관해 이야기를 해주었고, 그래서인지 연등을 시도하는 후임들이 조금씩 늘어나기 시작했다.

물론 모든 사람이 다 연등을 꾸준히 이어간 것은 아니다. 호기심을 갖고 시작했다가 금세 그만두는 사람도 있었다. 하지만 이렇게 한번 시도해 볼 수 있다는 것만 해도 어디인가. 이런 가능성이 있음을 인지하고 한번 경험해 본 것만 해도 어디인가. 이런 게 있는지도 모르는 것과, 알지만 당연히 안 될 거라고 포기하는 것, 그리고 일단 해본 뒤에 나와 맞지 않아 선택하지 않는 것. 비록 결과적으로 겉으로 드러난 '안 함'이라는 모습은 같을지라도 그 내면의 질은 완전히 다르다.

내가 계급이 높아지면서는 상황이 더 편해졌다. 일단 신막사로 옮기면서 환경이 좋아졌다. 간부연구실이라고 책상 10개 정도가 들어 있는 방이 하나 생겼는데, 감사하게도 연등 때 이 공간을 사용할 수 있도록 간부들이 허락해 주었다. 신막사에서의 첫 연등 때, 정상적인 책상과 의자가 있다는 사실만으로도 무척이나 즐거워했던 기억이 난다.

과거 컨테이너 막사에서 생활할 때는 주로 2층에서 연등을 했는데, 내부에 가벽도 없이 모두 뚫려 있는 곳이라, 이 안에 있는 사람이 뭘 하고 있는지 외부에서 점검하기 쉬웠다.

반면 간부연구실의 경우 독립된 공간이라, 문을 닫고 있으면 이 안에서 뭘 하고 있는지 일일이 확인하는 데 제한이 있었다. 담당 간부들 입장에선 굳이 트집을 잡고 제약을 걸려면 충분히 그럴 수 있는 상황이었지만, 그럼에도 이렇게 허락을 해준 점이 고마웠다.

그럼에도 군대는 군대. 그것도 취침 시간에 마냥 자유롭게 놔둘 수는 없는 노릇이다. 그렇기에 몇몇 간부들은 연등을 허락해 주는 대신 나에게 연등 인원을 관리하고 책임지는 역할을 부여했다. 나중에는 연등 목적이나 내용을 나에게 허락받으러 오는 후임들도 생겼다. 내가 연등 관리자가 되어버린 것이다.

후임들은 내가 귀찮아할 거로 생각할지 모르지만, 난 이렇게 공부할 거리를 들고 찾아오는 후임들이 참 반가웠고 또 멋지다고 생각했다. 비록 성격상 후임들을 살갑게 챙겨주고 따뜻하게 보듬어 주는 선임은 아니었지만, 앞으로 계속해서 들어올 후임들을 위해서라도 지금의 흐름이 잘 이어지길 바랐다.

이등병 시절 시작한 연등은 병장이 되고 전역을 하는 날까지 계속됐다. 덕분에 군대에서 동시에 N개의 역할을 수행하면서도 104권의 책을 읽을 수 있었고, 관심 있는 분야도 공부하며 다양한 도전을 이어갈 수 있었다.

군대도 결국 사람이 모인 곳이다. 그 목적과 성격상 비록 제한과 통제가 많을 수밖에 없지만, 그럼에도 각자가 어떻게 하는가에 따라 조금의 기회는 만들어갈 수 있는 게 분명하다.

물론 그렇다고 해서 무작정 권리와 기회를 요구할 수만은 없는 노릇이다. 이건 군대가 아니라 어느 조직이든 마찬가지다.

훗날, 전역 후 얼마의 시간이 지났을 때였다. 어느 날 익숙한 지역 번호로 수신자 부담 전화가 왔다. 아직 부대에 남아 있는 후임이었다. 내가 떠난 뒤의 몇몇 소식들을 전해주었는데, 안타깝게도 연등이 통제되었다고 했다. 관리의 문제로 인해서 말이다.

이후 한동안 금지되었다가 풀렸는지, 완전히 금지된 채로 사라졌는지는 나는 모른다. 그래도 연등을 활성화해, 동시대의 청춘들이 자기계발에 투자할 수 있길 바랐던 나로선 아쉬운 건 어쩔 수 없었다.

자유에는 책임이 따른다. 이를 자율이라고 한다. 오늘도 군 생활을 하는 모든 청춘이 기꺼이 자율을 누릴 수 있길 희망한다.

변화를 꿈꾼다면 당신 스스로 그 변화가 되어라

- 마하트마 간디

군대에서 태권도 1단을 딴다던데

대한민국 성인 남성 중 태권도 1단을 갖고 있는 사람이 생각보다 많다. 어릴 적에 태권도 학원에 다녀서인 경우도 있지만, 군대에서 태권도 1단을 취득해서인 경우도 있다.

그럼 부대에서 태권도 교육은 누가 시키는 것일까. 각 부대마다 전문적으로 태권도를 가르쳐주는 사범이 있는 걸까, 아니면 외부 태권도 도장에 교육이라도 다녀오는 걸까.

당시 우리 부대의 경우, 이발병이나 제초병 등의 작업병이 있듯이 병사 중의 한 명이 태권도 조교 역할을 맡아 교육을 담당했다. 다른 많은 부대 역시 크게 다를 바가 없었다고 알고 있다.

내가 자대에 배치되었을 때, 당연히 이미 태권도 조교 역할을 맡고 있던 선임이 있었다. 문제는 그 선임은 이미 병장이었고 전역이 얼마 남지 않는 상황이었다. 따라서 하루빨리 후임을 교육하고 인수인계를 준비해야 했다.

운이 좋았던 걸까. 마침 우리 부대에 군 생활이 아직 한참 남은 태권도 유단자가 들어왔다. 그런데 그게 나였다. 어릴 적, 놀 겸 운동 겸 태권도 학원을 오래 다녔고, 덕분에 이미 4단을 취득한 상태였다.

어느 날 선임이 나에게 태권도 조교를 할 수 있겠냐고 물었고, 나는 당연히 할 수 있다고 답했다. '다이나믹 군 생활'을 목표로, 단지 프로그램 실행만 한 번 해본 플래시도 할 수 있다고 답한 내가 아닌가. 당연히 부담되지만, 충분히 도전해 볼 수 있는 일이었다.

그런데 한 가지 문제가 있었다. 내가 태권도를 한 건 지극히 어릴 적의 일이었다. 지금은 그만둔 지 오래되었기에 기본적인 품새조차 기억이 나지 않았다. 내 몸은 이미 굳을 대로 굳어, 다리를 기껏 올려봤자 90도에 불과했다. 솔직히 어디 가서 태권도 4단이라고 말하기 부끄럽기 짝이 없다. 그렇다고 부대 안에서 속일 수는 없는 노릇이고 말이다.

나는 선임에게 말했다. 언제 태권도 심사가 있는지는 모르지만, 어떻게 하는지 교육만 받는다면 조교 역할을 해낼 수 있다고.

어쨌든 그렇게 난 태권도 조교 부사수가 되었고, 평일 저

녁 틈틈이 막사 뒷공간에서 인수인계 교육을 받았다. 군대 안에는 기본적인 품새 외에도 '기본 6개 동작'이라는 새로운 동작이 있었다. 별도 자료가 없었기에, 선임의 시범을 보며 암기할 수 있도록 따로 메모장에 그림과 글을 남겼다. 그리고 남는 시간에 이를 보며 혼자 연습했다.

다만 가장 기본적인 품새 동작들은 제대로 배우지 못했는데, 이는 어쩔 수 없이 외박과 휴가를 나가서 스스로 보완해야 했다. 기껏 밖에 나와 그 귀한 시간에 국기원 홈페이지에 접속해 사진과 동영상을 보며 혼자 품새를 연습하는 장병. 이것이 나다.

사실 태권도 심사가 부대의 주된 목적은 아니다. 따라서 태권도 심사가 있다는 건 알지만 그게 실제로 언제 이뤄질지는 알 수 없었다. 일찌감치 계획이 나오는 것도 아니고, 정확한 주기가 안내된 것도 아니었다. 게다가 워낙 다른 훈련 및 검열이 많은 부대였기에 언제쯤 여유가 생겨 이런 부수적인 일들을 할 것인지 예상하기도 어려웠다.

왜 많은 일들이 이렇게 어렵게 흘러가는 걸까. 신기하게도 결국 선임 태권도 조교가 전역하기 전에는 단 한 번의 태권도 심사도 열리지 않았다. 내가 부사수로서 참관할 수 있는 기회가 아예 없었다는 것이다.

이 상황 속에서, 내가 조기 진급으로 1개월 일찍 상병을 단 어느 날. 갑자기 첫 태권도 심사를 맞이하게 되었다. 승단 심사를 받을 대상자 몇 명이 추려졌고, 나에겐 태권도 조교의 역할이 주어졌다.

나보다 선임인 사람들도 피교육자로 있는 상황에서 주어진 기간은 고작 대략 1주일. 이 기간 동안 품새 1~8장과 기본 6개 동작을 모두 외우고, 발차기와 겨루기를 준비해야 했다.

태권도를 배워 본 사람의 입장과 교육자의 관점에서 봤을 땐 말도 되지 않는 상황이다. 시간이 턱없이 부족하다. 지금 내가 속한 곳은 학원이 아니라 군대고, 부대에 일이 워낙 많았기에 머리로는 이해되지만, 마음으로는 납득하기 쉽지 않았다.

내가 할 수 있는 건 무엇일까.

답은 하나다. 주어진 기간에라도 최대한 열심히 가르쳐서 한 명이라도 더 많은 사람이 합격할 수 있도록 하는 것이다. 주어진 부대 상황을 바꿀 수는 없지만, 그 상황 속에서 내 일에 집중하는 것은 내가 선택할 수 있다.

당연히 나의 모든 자유시간은 포기했다. 포기라기보다는 교육에 투자했다고 보는 게 옳다.

조금의 시간도 아까웠다. 어떻게든 조금 더 내가 아는 바를 공유하고 어떻게든 한 명이라도 더 합격이라는 성취감을 느낄 수 있도록 하고 싶었다.

이런 나의 마음과 달리, 그 3일이라는 짧은 시간조차도 여건이 좋지 않았다. 역시 부대의 주된 목적과 임무가 태권도가 아니었기에, 교육 도중에 계속 한두 명씩 작업이나 근무에 불려 나가기 일쑤였다. 교육받는 부대원들과 의견이 모여 단체 연등을 허락받고 추가 연습을 하려 했는데, 막상 가장 중요한 시험 전날 당직 사령이 교육을 취소시켰다. 준비가 덜 된 것 같아 걱정하는 부대원들을 보며 답답하고 화가 났지만, 명령을 따를 수밖에 없었다. 상관 입장에서도 사정이 있을 것이고, 무엇보다도 여긴 명령과 규율이 우선인 군대이니 말이다.

그나마 다행인 건 품새를 1장부터 8장까지 모두 외울 필요는 없고, 4개 장만 외우면 된다는 소식이 심사 전날 전해진 것이다. 이걸 하루 전에 전해준다는 게 사회의 일반적인 심사나 시험에선 말도 안 되는 일이지만, 지금은 그런 걸 가릴 여유가 없었다. 그저 반가운 소식일 뿐이었다.

당일 아침, 간부들에게 태권도 승단 심사 대상자들이 심사 전까지의 작업에서라도 열외 할 수 있게 해달라고 부탁드렸다. 마침 14시에 심사관이 온다는 소식이 왔기에, 다행히 이 시간만큼은 확보할 수 있었다. 시험 전 벼락치기라도 하는 심정으로 마지막 동작을 맞춰보고 우리가 할 수 있는 것에 최대한 집중했다.

"어차피 심사관도 병사들이 태권도를 배울 시간도 여건도 부족하다는 걸 잘 알 겁니다. 그리고 태권도가 이렇게 단기간에 속성으로 배울 수 있는 게 아니라는 점도 잘 알 겁니다. 따라서 동작을 조금 틀리고 실수를 하더라도, 포기하지 말고 기합 소리는 크게! 눈빛은 강렬하게! 동작 하나하나에 힘을 실어 최선을 다하는 의지 있는 모습을 보였으면 합니다."

드디어 14시가 되었다. 우리 포대뿐만 아니라 대대 전체의 승단 심사 대상자들이 연병장으로 모였다. 도복을 입고 맨발인 채로 심사관을 기다렸다,

그런데 시간이 지나도 심사관은 나타나지 않았다. 초조한 마음과 함께 계속 흘렀고, 결국 15시가 넘어서야 심사관이

나타났다. 그리곤 연병장이 아닌 대대 건물 안에서 심사하겠다고 말했다. 이럴 거라면 처음부터 1시간이라도 더 연습할 수 있게 해주지. 괜히 부대원들의 흐름만 끊기는 것 같아 야속했다.

어쨌든 다시 대대 건물 안으로 들어가니 심사관뿐만 아니라 대대장, 각 포대장, 그리고 주임원사는 물론 부대의 운영을 책임지는 간부들이 잔뜩 모여 있었다. 준비 시간은 얼마주지도 않고 이렇게 부담을 줄 정도로 다 모여 있다니. 다시한번 야속했다.

드디어 심사가 시작됐다. 심사관의 명령에 따라 기본 6개동작과 지정된 품새, 그리고 겨루기… 심사에 필요한 항목들을 하나씩 이행했다.

부대 내에서는 나름 포커페이스를 잘 유지하는 나였다. 이등병 시절에도 차분하다는 말을 들었고, 원래 이성적인 면이 강하고 표정이 다채롭지 않은 사람이다. 그럼에도 이 시간은 왜 이리 긴장되었을까. 내가 심사받는 게 아닌데 내가 긴장되었다. 실수하는 부대원들이 보일 때면 심장이 덜컥내려앉는 느낌이었다.

분위기가 상당히 무거웠다. 다들 열심히 했고 비록 실수하더라도 패기 있게 하자는 약속을 모두가 잘 지켜준 건 내가 정말 확신하지만, 연습 때보다 못한 것도 사실이었다. 솔직히 틀린 동작도 많았고, 동작이 기억 안 나 잠시 멈추는 경우도 있었고, 어설퍼 보이는 자세도 있었다.

하지만 틀린 동작도 최선을 다해 수행했고, 동작이 기억 안 나면 다른 사람의 동작을 보고서라도 따라 했고, 어설퍼 보이는 자세지만 눈빛과 기합 소리는 살아 있었다. 어느 포대원들보다도 우리 포대 사람들이 정말 멋지게 보였고 자랑스럽게 느껴졌다. 내 눈에만 그런 건지는 모르지만, 아무리 봐도 우리 포대원들이 제일 잘했다.

얼마의 정적이 흘렀다. 어두웠던 표정의 심사관이 무거운 침묵을 깨고 입을 뗐다.

"전원 합격!"

아⋯ 그때의 감정이 아직도 느껴진다. 분명 내가 심사받는 게 아니다. 한 명 더 합격한다고 나에게 수당이 나오는 것도 아니다. 그럼에도 온몸의 세포가 찌릿하고 마음이 시원하면서도 알 수 없는 기운으로 가득했다.

분명 내가 심사받는 게 아니다. 어쩌면 내가 심사받는 게 아니었기에 이런 감정이 느껴졌는지도 모른다. 부대원들이 비록 짧은 기간일지라도 얼마나 고생했는지 알기에, 그리고 부대원들이 나를 믿고 잘 따라준 걸 알기에.

나보다 먼저 입대한 선임들도 이 시간에서만큼은 기꺼이 배우는 자세를 취해주었다. 일, 이병 후임들의 경우 온갖 일로 피곤한 와중에도 최대한 집중하며 교육을 잘 따라주었다. 내가 전문적으로 태권도를 가르치는 사람도 아니고, 이렇게 교육을 해 본 경험도 없었지만 그런 나라도 믿고 따라준다는 느낌이 들어 정말 고마웠다.

그 후 심사관의 평을 들어보니, 역시 얼마나 동작을 완벽히 암기했고 품새를 익혔는지가 핵심 평가 요소가 아니었다. 얼마나 열심인지, 최선을 다하고 진지하게 심사에 임하는지가 가장 중요했다. 그런 측면에서 본다면 모두가 합격할 수밖에 없었다. 심사관 역시 상당히 흡족해하는 모습이 보였다.

돌아보면, 나 혼자서 이렇게 많은 사람들에게 무언가를 가르치고 이끌어 갔던 경험은 많지 않았다. 봉사활동을 하며 야외활동의 인솔자 중 한 명이었던 적은 있고, 1:1 과외를 하며 학생을 가르쳐 본 경험은 있었다. 반면 태권도 조교는 나 혼자 알아보고 준비해, 나 혼자 많은 사람을 가르치고 이끌어가야 했다.

물론 나중에는 인수인계할 후임을 불러 보조를 시키기도 했지만, 인수인계를 결정하고 보조를 시키는 것 역시도 스스로 판단하고 결정해야 했다.

이렇게 작더라도 한 집단을 책임진다는 데 참으로 쉽지 않은 일임을 깨달았다. 나의 판단에 따라 내 결과만 달라지는 게 아니라, 다른 사람의 결과 역시 달라질 수 있기 때문이다. 그래 봤자 적게는 몇 명, 많게는 몇십 명이겠지만 말이다.

이 경험을 하고 나니 포대장, 대대장이 조금은 다르게 보였던 게 사실이다. 더 많은 사람의 더 많은 생활을 책임지고 있지 않은가.

그리고 군대 태권도 조교로서의 이번 일은, 나의 성장과 자기계발에 힘썼던 내가 타인의 성장에서 이렇게 큰 성취감과 보람을 느낄 수 있음을 깨닫게 해주는 순간이기도 했다.

이후에도 몇 번의 태권도 심사가 있었다. 포대장과 상의해 승단 심사 대상자를 내가 정하기도 했고, 어쩌다 보니 졸지에 포대가 아닌 대대 전체의 태권도 조교 역할을 맡기도 했다.

시간은 시간대로 없고, 각종 제한은 많고, 할 일은 또 많고, 매번 긴박하게 시작되지만 각종 우선순위에서 배제되고, 그러면서도 합격율은 높길 바라며, 사병들의 조기 진급 기준에 태권도 단증 여부가 반영되고….

체력적으로 지칠 때도, 정신적으로 부담이 느껴질 때도 많았다. 그럼에도 내가 배우고 얻는 바 역시 많았던 것도 사실이다. 다시 하라고 하면 안 할 가능성이 높지만, 내 군 생활에 있어 해보길 잘한 경험 중 하나다.

상담병을 하며 아쉬웠던 건

태권도 조교에 이어, 나의 성장뿐만 아니라 타인의 성장에도 관심을 두게 된 일은 하나 더 있었다. 바로 '장병 기본권 상담병'이다. 이름에서도 알 수 있듯, 군인 장병들의 기본권을 보호하기 위해 상담을 해주는 사병을 말한다. (참고로 요즘 군 상담에서는 '사병'이 아닌 '용사'라고 부르더라.)

군대 문화가 점점 더 개선되고 있다고 하지만, 여전히 어느 조직보다 임무 중심의 수직적인 문화를 갖고 있고, 보안을 위해 폐쇄적인 성향을 보인다. 자칫 사병들의 기본권이 침해되는 불상사가 발생할 수 있다. 이런 일이 내 소중한 아들, 오빠, 동생, 애인, 친구에게 발생해선 안 되지 않나. 따라서 사전에 이런 일을 방지하기 위한 일환으로 생겨난 제도다.

부대 내 고충이 있을 경우 직속상관을 통해 문제를 해결할 수도 있다. 꼭 군 내부에서만 해결하려고 할 게 아니라고 생각하지만 어쨌든 상관이라는 직책을 떠나 나보다 어른에게 도움을 요청하는 건 종종 필요한 일이다. 하지만 거리감이 있을 수밖에 없는 게 사실이다.

반면 함께 군 생활을 하고 있는 상담병의 경우, 아무래도 비슷한 처지에 있기에 같은 장병의 입장에서 서로 공감하기도 쉽고 상담을 하기까지의 진입 장벽도 낮다. 고민과 스트레스가 감당하기 힘들 정도로 폭발하기 전에, 조금 더 낮은 단계에서 사전에 풀어주는 역할을 할 수도, 조금 더 적극적인 조치가 필요하다고 판단될 경우 직속상관과의 연결고리가 되어 함께 해결책을 모색하는 역할을 할 수도 있다.

이런 취지에 맞게, 가장 군 생활을 오래 한 병장 중에서만 장병 기본권 상담병을 뽑는 게 아니라 계급에 따라 분산해서 선발했다. 나는 비교적 낮은 계급을 대표해 선정됐고, 이후 전역할 때까지 주기적으로 상담일지를 작성하며, 개인적인 문제뿐만 아니라 사병들의 원활한 군 생활을 위해 필요하다 싶은 사항이 있을 경우 상부에 건의하기도 했다.

이와 같은 취지의 활동은 군대에서만 펼쳐지는 게 아니다. 학교에서도 '또래상담'이라는 이름으로, 같은 또래의 학생이 다른 학생들에게 상담적 도움을 주는 활동을 펼치고 있다.

당연히 전문상담자의 도움이 받는 게 제일이지만, 그 사이에서 상담 교육을 받은 또래가 할 수 있는 역할도 분명 존재하기 때문이다.

자, 여기까지가 애초의 목적이자 취지다. 내가 마땅히 해야 할 일이다. 하지만 당사자인 내가 평가하기에도, 본래 의도를 온전히 수행했다고 보기 어렵다. 가장 단적인 예로, 전역 후 이야기를 해보니 나랑 군 생활이 3개월밖에 차이 나지 않는 선임조차 내가 군 생활 동안 상담병이었다는 사실을 모르고 있었다. 생활관에 버젓이 임명장까지 걸려 있었지만 어쩌면 상담병이란 역할이 있었는지조차 기억이 희미한 사람들도 많았을지 모른다.

그럴 수밖에 없었던 게, 분명 좋은 취지의 제도였지만 좋은 취지라는 이름만으로 이제 막 일단 시행되고 보는 듯한 느낌이 강했다. 상급 부대야 어땠을지 모르지만, 우리 같은 하급 부대에서는 해야 하는 수많은 명목적인 일 중 하나였고, 그렇게 관심을 받는 일도 중요하다고 여겨지는 일도 아니었다. 이를 알 수 있는 게, 내가 상담병이라고는 하지만 상담에 대한 조금의 이론도, 한 번의 실습도 교육받은 적이 없었다. 단지 서류상 임명장을 받았고, 써야 하는 상담일지를 받았고, 정기적으로 제출하라는 임무를 받았을 뿐이다.

당연히 나는 상담이라는 활동을 펼칠 배경지식도, 자질도, 태도도, 여력도 모두 부족했다. 개인적으로 내향적이며 진지하고 스스로 조용히 성찰을 많이 하는 성격이라, 사교적인 모임보다는 1:1의 깊은 이야기를 선호한다. 그 덕분인지 군대 생활을 하면서도 부대원들과 진중한 이야기를 나누는 경우가 꽤 있었다. 하지만 내가 과연 적극적인 경청과 공감을 했는지, 그냥 수다를 떤 것인지는 모르겠다. 나의 좋은 의도도 좋지 않게 작용할 수 있는 게 상담이고 커뮤니케이션이기 때문이다.

만약 조금 더 체계적인 교육을 받을 수 있었다면 어땠을까. 그전에 앞서, 상담병으로서 나부터 자신의 마음을 좀 더 온전히 이해하고 여유를 가질 수 있었다면 어땠을까. 그랬다면 함께 한 부대원들을 조금은 더 있는 그대로 수용할 수 있었을까. 다들 고생하는 군 생활, 조금은 더 각자의 마음을 보살피는 데 도움이 될 수 있었을까. 이미 다 지나간 일이지만 그냥 문득 그런 생각이 든다.

(그래도 일단 다양한 경험을 하고 볼 일이다. 이때는 전혀 몰랐다. 아니 30대가 되어서까지도 몰랐다. 내가 대학원에

상담심리학과로 진학할 줄은. 대학원 어느 수업의 과제 작성에 상담병 경험이 도움되기까지 할 줄은.

애플 사(社)의 창업자, 스티브 잡스로 인해 유명해진 표현이 있다. "Connecting the dots." 점들은 그 점들은 잔뜩 찍고 나서야 뒤늦게 연결할 수 있다. 과거와 현재에는 알지 못한다. 미래의 어느 날 알게 될 뿐.)

이발병을 하며 잃은 것과 얻은 것

내가 상담병인 건 모르고 있던 사람들이 있지만, 내가 이발병인 건 모르고 있던 사람들이 없다.

막내 이발병에서 최고참 이발병이 될 때까지 참 여러 가지 일이 있었다. 내가 생각했던 대로 흘러갔던 일들도 있었지만, 반대로 예상과는 다르게 흘러갔던 일들도 있었다. 하급 부대의 작업병으로서의 이발병. 이 과정에서 내가 잃은 것과 얻은 것은 무엇일까.

이발병을 하며 잃은 것들

가장 큰 건 아무래도 자유시간이다. 아무리 배고픈 군인이라지만, 나는 간식을 나눠줄 때보다 자유시간을 줄 때가 훨씬 좋았다. 군 생활 동안 그나마 긴장을 조금이라도 풀 수 있는 시간이었고, 남이 시키는 대로 움직이는 게 아니라 조금이나마 내 행동을 내가 정할 수 있는 시간이다. 그래도 군대가 삼시 세끼는 꼬박꼬박 잘 챙겨주기에 배고픔보다는 자유고픔이 더 컸다. (배식 실패를 당해 서운함을 느낀 적이 있긴 한데, 그래도 흔한 일은 아니었다. 반면 자유시간은 제한될 때가 종종 있었다.)

이발병을 하는 순간 어쩔 수 없이 이 자유시간은 줄어들었다. 애초에 입대할 때부터 이발이 주특기인 경우가 있는지는 모르겠지만, 대부분 이발은 사이드잡이다. 본업이 아닌 탓에 작업과 훈련과 근무는 그것대로 하고, 남는 시간을 활용해 이발해야 한다. 우리 포대의 경우 주말마다 고정된 이발 시간이 있었다. 사이드잡이지만 나름 매장 운영 시간이 있는 것이다. 그리고 그 매장 운영 시간은 자유 시간 안에 포함돼 있었다. 다들 자유 시간을 누리고 있을 때 이발병들은 일을 하는 것이다. 깎으러 오는 분들이야 해당 시간 안에 자기 할 일을 하다가 알아서 오면 되지만, 이발병들은 계속 이발하거나 대기하고 있어야 한다.

황금 같은 주말 자유시간도 아까운 데, 간혹 평일 자유시간에도 일을 해야 하는 경우가 있었다. 특히 위생검열이나 높은 분들의 방문이 있으면 일이 늘어난다. 이발소와 이발

기구들의 머리털 하나까지도 청소해야 하고, 전 부대원들의 머리를 다시 손봐야 한다. 혹시 누구 한 명이라도 '쟤는 왜 이렇게 머리가 길어?'라는 지적을 받는 일이 없도록 미리 완전무결한 까까머리를 만들기 때문이다. 이럴 경우 당연히 주말 전체와 평일 자유시간까지 잃는다.

자유시간과 함께 정신건강에도 변동이 생긴다. 일단 자유시간을 잃는다는 것 자체가 스트레스다. 그나마 정해진 시간에만 깔끔하게 일을 마칠 수 있다면 다행인데, 많은 자영업자와 프리랜서가 그렇듯 이발병 역시 수시로 예상하지 못한 변수를 만난다.

다행히 불경기를 만나지는 않는데, 사실 불경기도 만나고 경쟁자로 인한 매출 감소도 좀 만나고 했으면 하는 게 이발병의 마음이었다. 오해하지 말자. 그냥 머리 좀 덜 자르고 싶다는 마음의 비유적 표현이다. 사람이 많아 주말 지정된 시간 외에도 머리를 잘라야 하는 경우, 위생검열 등으로 평일 자유시간에까지 일을 해야 하는 경우, 안 그래도 꿀꿀한 기분으로 휴가에서 복귀했는데 짐도 제대로 풀기 전에 수십 명의 이발을 맡아야 하는 경우 당연히 스트레스를 받는다.

'불과 몇 시간 전까지만 해도 여자친구의 향기 나는 긴 머리를 쓰다듬고 있었는데….'

사람을 상대하는 일인 만큼 내 뜻대로 되지 않는 손님들의 돌발 행위도 있다. 예를 들어 정해진 시간도 끝나고 더 이상 찾아오는 사람도 없어 청소까지 다 끝냈는데 뒤늦게 머리를 잘라달라고 찾아오는 경우다. 본인의 자유시간은 자유시간대로 다 즐기고 뒤늦게 쫄래쫄래 찾아오는 이가 참 야속하긴 한데 그게 선임이면 뭐라고 할 수도 없다. 어쩔 수 없는 상황이 있었다거나 양심이 있어 미안해하는 경우엔 그래도 할 만한데, 어느 하나에도 해당하지 않는 경우 살짝 고민이 든다.

'아… 이 머리를 어떻게 해버릴까.'

그럼에도 결국 포기하는 건 나다. 이발병으로서의 나쁜 실력은 비록 어쩔 수 없다고 쳐도, 나쁜 인성의 이발병은 되기 싫었으니까.

위생검열 등이 있을 때도 단순히 일이 늘어서가 아니라 사람으로 인해 스트레스 받는 경우가 있다. 어떻게라도 좀 더 풍성만 머리를(밖에서 봤을 땐 그래봤자 군인 머리지만) 유지하려는 말년 병장들과 간부들 사이에 껴 있을 때다. 이발병으로서 상관의 명령은 명령대로 받고, 같은 군인으로서 말년 병장의 마음도 이해하기에 더 난감하다. 꼭 이럴 땐 양측이 원만하게 합의를 보거나, 둘이 직접 깔끔한 결론을 내는 일이 없더라. 중간에 껴 있는 자가 난감할 뿐.

그 외 5분대기 등의 이유로 1주일간 계속 군복만 입고 있어야 하고 제대로 씻지도 못하는 데 얼굴부터 옷 속에까지 머리카락들이 잔뜩 침투해 버린 경우, 머리를 자르고 있는 도중에 비상 상황이 걸려 바리깡 대신 총기를 들고 무장을 한 채 5톤 트럭까지 끌고 나가야 하는 경우, 나를 대학가 헤어샵의 전문 디자이너로 생각하는지 각종 스타일을 요구하는 경우도 있었다. 심지어 샤기컷 스타일을 요구받기도 했는데 진짜로 내가 할 수 있을 거라고 생각해서 요구한 건지 아직도 잘 모르겠다. 원래 이발이나 미용을 했고 이 일 자체를 즐겨하는 사람이면 모르겠지만, 내 경우 이를 항상 기분 좋게 받아들이긴 힘들더라.

그럼 이발병은 매번 힘들기만 했을까. 아니다. 이발병을 하면서 분명 내가 얻은 것들도 있다.

이발병을 하며 얻은 것들

첫째, 권력이다. 사실 정확히 권력이라고 표현하긴 힘들지만 책임에 따른 권한 정도라고 볼 수 있다. 특히 다른 작업병들에 비해 이발병의 힘이 좀 더 강했는데, 그건 군인들의 아주 귀한 머리를 직접 다루기 때문이다. 특히 외박이나 휴가 등을 앞둔 군인들에게는 내 손짓 하나하나와 몸의 작은 떨림조차 민감한 일이었다. 군인이 스타일이라고 낼 게 뭐가 있는가. 이 짧은 머리와 칙칙한 군복의 다림질, 군화의 반짝임 정도다. 그나마 군복과 군화는 갈아입고 신으면 되는데 머리는 그럴 수가 없다. 계속 모자만 쓰고 다니기도 애매하고. 그러니 아무리 선임일지라도 이발을 할 땐 가위와 바리깡을 들고 있는 자에게 조심스러울 수밖에 없다. 내가 허튼짓이라도 하면 당장 화를 낼 수 있지만, 그런들 지나간 머리는 돌아오지 않는다. 아니 돌아오긴 하는데 휴가가 다 끝나고 나서야 돌아온다. 휴가 예상일에 맞춰 몇 mm 단위의 머리카락 성장률을 계산하는 군인들에게 이발병의 힘은 막강했다. 그래서인지 일부 선임에게선 대대로 내려오는 이발병의 전통과 자부심을 전해 듣기도 했다. (휴가를 나가서 미용실 원장에게 가위질을 배워오고, 새로운 숱 치기 기술을 익혀 오고, 자기 사비로 미용 도구를 가져왔다는 무용담을 듣기도…)

또 하나 얻은 것은 관계다. 이발병을 하다 보면 자연스럽게 모든 부대원과 마주칠 수밖에 없다. 우리가 사회의 미용실에서 그렇듯, 머리를 자르는 동안 자연스럽게 각종 이야기를 나누게 된다. 대화 말고는 아무것도 할 수 있는 게 없으니 말이다. 따라서 많은 부대원들과 다양한 이야기를 나누게 되고, 이를 통해 좀 더 가까워질 수 있는 기회를 얻게 된다. 머리를 다듬고 있는 사람이 적을 경우 보다 깊게 개인적인 대화를 나눌 수도 있다. 그러다 보니 간혹 고생한다면 조그마한 간식이라도 하나씩 챙겨주는 선임들도 있었고, 후임들로부터 속 깊은 고민이나 이야기를 듣기도 했다. 어쩌면 상담병이라는 역할보다 더 상담병의 일을 해낸 것이 이발병이지 않나 싶다.

마지막으로 휴가다. 군 생활을 하면서 사람들과 이야기를 나누었는데, 군인이 원하는 선물 베스트 2위가 바로 휴가였다. 물론 1위는 압도적으로 전역이다. 이건 어찌할 수가 없다. 아마 재벌 집 아들도 전역은 갈망할 것이다. 대부분의 사람이 내가 이발병을 하면서 겪어야 하는 일들엔 아무도 부러움을 느끼지 않았다. 하지만 이발병을 하면서 얻은 휴가는 대부분 부러워했다. 1년에 한 번씩, 즉 군 생활을 하면서 총 2번 포상휴가를 받았기 때문이다.

사실 이건 이발병만 주는 게 아니라 몇몇 지정된 작업병들에게 모두 주어지는 포상 휴가였다. 아무래도 개인 자유 시간을 할애해 보직 이외의 역할을 수행하는 만큼, 부대에서는 그 공로를 제도적으로도 인정해 주고 있었다. 얻는 휴가에 비해 잃는 개인 시간이 더 많은 건 사실이지만, 그래도 밖에서의 시간과 군 안에서의 시간은 질적으로 다르지 않나. 휴가받는 일이 쉽지 않은 군대에서 1년에 4박 5일씩 휴가를 받을 수 있다는 건 엄청난 매력이다.

그 외 사람들의 두상과 타고난 헤어 스타일이 내 생각 이상으로 참 가지각색이라는 걸 알게 되었다는 것도 있는데, 사실 이걸 알게 되었다고 내 삶이 크게 달라진 건 없다. 그래도 내가 전혀 생각도 못 했던 세계의 한 영역을 조금이나마 체험해 봄으로써 조금은 더 타인의 삶을 이해할 수 있게 되지 않았나 싶다.

그래서일까. 전역 후 내 머리를 망친 미용사들의 실수에 몇 번 눈감아 준 적이 있다. 대신 그 정도가 매우 심하면서도 무책임하게 넘어가려고 할 경우, 그냥 그 미용실에 다시 안 찾아갈 뿐이다. 여긴 군대가 아니다.

어떻게 하면 군 생활을 줄일 수 있을까

우리나라 대표 포털 사이트에 "전역일 계산"을 검색해 보자. 친절하게도 첫 화면에 바로 계산기가 나온다. 입대 일자와 복무 형태를 선택하면 전역일은 언제인지, 오늘까지 복무율은 얼마나 되는지 단번에 확인할 수 있다.

포털 사이트에서 일반적인 검색 결과가 아니라 이렇게 곧바로 계산기를 첫 화면에 보여주는 건, 그만큼 전역일을 계산해 보려는 사람들이 많다는 것이다. 데이터를 분석해 보니 "전역일계산기"라는 키워드는 한 포털 사이트에서만 최소 월 몇만 회 이상씩 검색되고 있다.

나 역시 입대일이 나오고는 곧바로 언제 전역하는지를 확인했던 기억이 있다. 입대 이후로도 종종 내 군 생활이 얼마나 남았는지를 확인했던 기억이 있다. 그리고 그렇게 각자의 D-day를 확인하고 서로 비교하고 있는 선임, 후임을 관찰했던 기억이 있다.

하지만 이렇게 전역할 날짜를 하루하루 세어보고 계산한
들 국방부 시계가 빨리 흘러가지는 않는다. 오히려 계산하
고 확인할수록 시간이 더디게 흘러간다고 느껴질 뿐이다.
전역일이 까마득하게 느껴지며 아직 여기까지밖에 오지 못
했음이 한탄스러울 뿐이다.

나는 군 생활을 열심히 했다. 대한민국 청년치고 스스로
군 생활을 열심히 하지 않았다고 생각하는 사람이 얼마나
있을까 싶지만, 그럼에도 불구하고 나는 스스로 군 생활을
열심히 했다고 당당히 말할 수 있다.

인생 전체를, 매 순간을 열심히 살았다고 자신할 수는 없
다. 이도 저도 아니게 허투루 보냈다고 느껴지는 시간도, 멍
하니 뒹굴뒹굴한 시간도, 스스로 반성할 수밖에 없는 시간
도 참 많다.

하지만 내 삶 전체를 돌아봤을 때, 다시 돌아간들 도저히
그 이상 해낼 자신이 없는 기간들이 있다. 나이가 들고 경험
이 쌓이며 과거의 내가 내릴 수 있었던 더 나은 선택들이 보
이는 건 있지만, 그래도 그 당시 나로선 정말 할 수 있는 최
선을 다했구나 싶은 그런 기간들이 있다. 그중 하나가 군 복

무 시절이다.

누군가는 내게 말했다. "군대가 체질이야? 그렇게 열심히 할 수 있었던 건 너랑 잘 맞았기 때문이 아닐까?"

그렇게 생각할 수도 있지만 실상은 달랐다. 내가 군 생활에 최선을 다하고 열심이었던 건 오히려 조금이라도 더 군 생활에서 벗어나고 싶었기 때문이다.

까마득히 보이는, 아니 과연 보이긴 하는 건가 싶은 전역일을 계산해 보던 입대 전 어느 날, 나는 곰곰이 생각했다.

'입대를 피할 수는 없다. 그렇다면 군 복무 기간을 줄일 방법은 없을까?'

일단 개인적인 가사 문제로 도중에 전역할 수밖에 없는 안타까운 의가사제대는 배제하고, 내 군 복무기간이 줄어들 방법으로 크게 3가지 정도가 떠올랐다.

첫째, 제도적인 측면이다. 이게 가장 최고의 방법인데, 공식적으로 군 복무기간이 줄어드는 것이다. 병역 제도, 법이 바뀌어 전역일이 앞당겨지는 것이다. 이 경우 내가 특별히 애쓸 것도 없고, 나만 특별한 혜택을 보는 것도 아니고, 국가에서 공식적으로 행한 일이기에 이후에 나에게 딱히 문제

될 것도 없다.

다만 내가 어떻게 해볼 수 있는 방법도 아닌데, 놀랍게도 이 상상은 현실이 됐다. 내가 입대할 당시 군 복무기간은 2년이었다. 이게 당연했고 이렇게 확정받고 입대를 했는데, 한창 훈련병 생활을 하던 도중 어디선가 이상한 루머가 들리기 시작했다. 우리 군 생활이 줄어들 수도 있다는 이야기였다.

훈련소 병장들로부터 "너흰 언제 전역하나? 너희가 전역하는 날이 과연 오긴 올까?"라며 놀림 받던 우리다. 또 다른, 조금은 창의적인 놀림의 연속인 걸까. 불확실한 미래에 찌든 누군가가 헛된 환상을 퍼뜨리는 게 아닐까 하는 생각을 했다. 현실의 막막함을 그런 환상을 통해서라도 잊고 싶은 것이다.

그런데 이건 환상이 아니었다. 몇 주가 지나, 진짜 군 생활이 줄었다는 공식적인 신문 기사를 확인할 수 있었다. 입대일에 따라 복무기간 단축일이 차등 적용됐는데, 내 경우 자연스레 십 며칠이 줄어들었다.

둘째, 시간의 상대적 측면이다. 사실 첫 번째 방법은 어찌 보면 운에 가깝다. 개인이 어찌할 수 있는 방법은 아니기에 그냥 처음부터 기대하지 않는 게 좋다. 헛된 기대와 희망이 클수록 실망도 비례해서 커진다.

대신 두 번째 방법은 개인이 충분히 해볼 수 있다. 절대적인 군 복무기간이 줄어들지 않는 이상 상대적인 군 복무기간을 줄이는 것이다. 여기서 '상대적'이라는 표현을 쓴 건, 복무기간이 조금 더 긴 공군이나 해군이 아닌 육군을 선택하자는 뜻이 아니다. 절대적 양은 변함이 없더라도 체감하는 심리적 시간의 양을 줄이자는 의미다.

시간은 상대적이다. 술에 잔뜩 취한 사람의 옆자리에 앉아가는 버스 1시간과, 사랑스러운 애인과 함께 가는 버스 1시간의 느낌은 분명 다르다. 만약 이왕 하는 군 생활, 의도적으로 신나게 즐겨본다면 같은 2년이라도 그 느낌은 매우 다를 것이다. 무슨 일이든 재밌는 건 시간이 빨리 가는 것처럼 느껴지게 마련이니 말이다.

하지만 나로선 이게 쉽지 않았다. 이미 충분히 재미없다고 온몸으로 느껴지는 일을 단숨에 재미있게 느낄 수 있는 역량을 갖춘 사람은 아니었기 때문이다.

좀 더 현실적인 방법은 없을까. 다행히 있다. 그건 바로 군 생활을 바쁘게 보내는 것이다. 시간이 넘쳐나고 무료할수록 시간은 더더욱 느리게 가는 것처럼 느껴진다. 이건 경계 근무를 나가 보면 안다. 초소 안에서 1시간 반, 2시간 동안 아무런 변화도 없는 바깥 풍경을 가만히 보고 있으면 온몸의 세포가 지루함이라는 신호를 마구 발산한다. 멧돼지 무리가 나타났을 때 잔뜩 긴장하기는 했지만, 덕분에 시간은 잘 가서 정말 고마웠다.

주어진 임무에 최선을 다하고 부가적인 임무에도 도전하며, 자유 시간에 할 건 하고 쉴 건 쉬면서 또 열심히 공부하고 움직이다 보면 하루가 금방 지나간다. 실제로 이른 아침부터 자기 전까지 5~6가지 일들을 맡다 보니 하루가 금세 지나갔다. 오히려 해야 할 일에 비해 시간이 부족하다는 아쉬움을 느끼는 경우도 있었다.

이렇게 훈련과 각종 일들로 하루하루를 보내다 보니 어느새 다음 주가 찾아왔고 다음 달로 넘어왔다. 누군가는 이를 '정신없는 바쁨'이라고 볼 수 있지만, 다른 관점에서는 '몰입'이라고도 볼 수 있다. 어떤 일과 생활이든 몰입하는 순간 그 시간의 질은 달라진다.

셋째, 어쩌면 가장 현실적이고 매력적인 방법이라고 볼 수 있다. 군인에게 전역 다음으로 가장 큰 선물인 '휴가'다.

기본으로 주어지는 휴가가 있다. 100일 휴가 혹은 신병위로휴가, 정기휴가 등이다. 일정 군 복무 기간이 지나면 자동으로 생긴다.

그 외에는 여러 가지 이유로 인해 얻을 수 있는 각종 포상휴가, 위로휴가 등이 있다. 이런 휴가들을 많이 획득해 출타한다면? 비록 군인 신분임에도 변함이 없고 제약도 남아 있지만 그래도 부대 안에서 근무하고 있는 시간은 줄어든다. 전역일 자체는 그대로지만 군 복무 기간을 줄이는 듯한 효과를 얻는 셈이다.

나는 두 번째 방법과 함께 세 번째 방법을 최대한 병행하고자 했다. 그렇기에 더욱 군 생활에 최선을 다했다. 기본적으로 내가 해야 할 일들을 열심히 했다. 부대 안에서 할 수 있는 여러 가지 임무와 활동에 도전했다. 잠자는 시간을 줄여가며 책을 읽고 공부를 했다.

분명 남들보다 더 많은 일들을 하고 있었다. 하지만 결과적으로 실제 부대 안에 있었던 시간을 계산한다면, 남들보다 군 생활을 적게 했다고 볼 수 있다. 포상, 위로 등 우리 부대 안에서 가장 많은 휴가, 외박을 얻은 사람 중 한 명이었기 때문이다. 입대일과 전역일까지의 절대적인 기간은 같아도 시간의 밀도가 달랐다.

그리고 이러한 선택은 선순환구조를 이룰 수 있도록 도왔다. 군 생활을 열심히 했기에 부대 안에서 인정받는 게 있었고, 그렇기에 여러 포상 및 위로 휴가를 얻을 수 있다. 덕분에 밖으로 나가 군인이 아닌 누군가의 가족, 연인, 친구이자 학생으로서의 역할과 일들을 조금 더 해낼 수 있었다. 그럴수록 마음은 홀가분해졌고, 그런 마음 상태에서 다시 군 생활을 열심히 하며 내가 계획하고 의도했던 것들을 하나둘씩 해낼 수 있었다.

이게 모두에게 정답이라고 생각하지는 않는다. 누군가는 나 자신의 영달과 편의보다는 조국에 대한 헌신이 먼저인 게 참된 군인의 정신이라고 지적할 수도 있다.

맞는 얘기다. 하지만 나로서는 이게 최선이었다. 처한 환경 속에서 이렇게 조금이나마 나 자신과 만족과 내 또 다른 역할들에 충실할 수 있는 기회의 물꼬를 텄을 때, 오히려 군인으로서 내가 해야 할 일이 충실할 수 있는 힘이 생겼다. 정해진 알고리즘대로 움직이는 기계가 아니라 마음을 갖고 있는 사람이기 때문이다.

과연 사단장 표창을 받을 수 있을까

"분대별로 한 명씩 행정반으로~!"

종종 몇몇 작업 인원이 필요할 경우, 혹은 분대별로 전달 해야 할 물건이 있거나 필요한 일 처리가 있을 경우 이렇게 인력을 모으고는 했다. 보통 이럴 때 오는 건 분대에서 가장 막내인 사람, 막내 부재 시 바로 위 군번인 사람이다. 어쨌든 거의 이병이거나 일병이다.

사람을 모을 때마다 나는 행정반으로 달려갔고, 그런 나를 본 당직 간부나 고참들은 종종 한 마디씩 건네고는 했다.

"너는 아직도 오는구나."

당시 난 꼬인 군번이었다. 자대에 처음 배치됐을 때, 우리 분대에서 가장 군번이 빠른 분대장은 나랑 딱 1년 차이가 났다. 다른 분대원들은 그 1년 사이에 몇 개월 단위로 몰려 있었다. 나가는 사람이 있어야 들어오는 사람이 있다. 이 말은 곧, 한동안 우리 분대에서 전역하는 사람이 없으니 내 맞후임으로 들어올 사람도 없다는 말이다.

실제로 우리 분대에 후임이 처음 들어온 건 내가 상병 5호봉이 되기 바로 하루 전날이었다. 그러니 이 후임이 처음 자대 배치를 받고 적응하는 기간까지 감안한다면, 난 병장이 되기 코 앞까지 계속 다른 일병, 이병들과 함께 불려 가야 했던 것이다. 아니, 후임의 부재 시 병장이 되어서도 자주 불려 갈 수밖에 없었다. 분대별로 한 명이 아닌 두 명을 모으면 난 빼도 박도 못한다. 심지어 작업을 시키겠다고 그렇게 인원을 소집한 당직사병이 나보다 후임인 경우도 종종 있었다.

꼬인 군번이라는 건 참으로 피곤하다. 그런데 그런 꼬인 군번이 나에게 새로운 기회를 줬다. 특히, 휴가에 기뻐하는 나에겐 절호의 찬스였다. 그건 바로 분대장 교육이다.

군번 특성상 함께 손발을 맞추던 선임들이 모두 전역하면? 뒤늦게 들어올 신참 후임들과 함께, 나아가 그런 신참들하고만 지내야 하는 건 나였다. 따라서 선임들이 전역하면서 차례차례 분대장이 바뀌다가, 이후 나보다 3개월 일찍 입대한 맞선임은 건너뛰고 내가 분대장을 맡게 되었다. 그러면서 사단 전체에서 진행하는 분대장 교육대에 가게 되었는데, 이에 대해 아주 매혹적인 소문이 돌았다. 여기서 높은 점수를 받으면 무려 사단장 표창을 받을 수 있다는 것이다. 그리고 사단장이라는 이름의 무게에 걸맞게 포상 휴가도 상당하단다.

그리고 이건 어디까지나 상상의 나래지만, 그렇게 사단장 표창을 받아 올 경우 내가 속한 부대의 위상을 떨친 공로를 생각해 대대장 혹은 포대장이 뭐 하나라도 끼워서 더 챙겨줄지도 모르는 일이다. 편의점 1+1 행사 상품까지는 아니더라도 최소한 2+1은 되는 느낌이다.

이건 분명 기회였다. 그리고 부대에서도 나에게 기대하는 바가 있었다. 비록 다른 부대만큼의 지원은 없었지만.

"내일이 출발인데 주어진 정보가 너무 없다."

- 분대장교육대 입소 하루 전에.

그런 나와 남의 기대 속에서 분대장 교육은 진행됐다. 장소는 사단 신병교육대. 자대에 배치도 받기 전에 잠시 교육받았던 곳을 어느덧 고참이 되어 방문하니 감회가 색달랐다.

다만 여긴 놀러 온 곳이 아니기에 추억에 잠들 틈도 없이 빠릿빠릿 움직였다. 다시 훈련병과 이등병이 된 것처럼 몸과 마음에 각을 잡은 채 솔선수범했고, 또한 병장의 여유로 주위를 살피며 분위기를 읽고 동료 교육생들과 협력했다. 조교들의 말도 잘 들었고 재미없는 공부도 열심히, 훈련에도 적극 참여했다.

그 과정에서 신기한 일이 있었는데, 예전에 이 신병교육대에 머물면서 알게 된 형 한 명을 다시 만난 것이다. 그 형은 이 부대 소속이었고, 당시에 날 보면 자기 동생이 떠오른다며 잘해주었던 기억이 있다. 분대장 교육 동안은 아무래도 서로의 입장이 있다 보니 가벼운 인사 정도밖에 할 수 없었다. 그래도 어느새 교육이 마무리되고 퇴교하기 전날이 되었을 때, 그 형이 직접 찾아와준 덕분에 여러 이야기를 나눌 수 있었다.

그러다 이번 교육에 대한 이야기가 나왔는데, 우연히 확인해 보니 내 점수가 꽤 높다고 했다. 최종 결과가 나오기 전까지는 어느 것도 확실한 건 없는 게 인생이지만, 얘기를 들었을 땐 10등은 기본이고 적어도 4~5등 안에 들 정도였다. 그 외 몇몇 좋은 평가도 들었는데, 이 정도면 진짜로 사단장 표창이라는 걸 받게 되는 것이다. 우리 같은 하급 부대에서는 정말 꿈과 같은 일이다.

　드디어 퇴교하는 날. 자대로 돌아가기 위한 모든 준비를 마쳤을 때쯤, 담당자가 나와 일종의 성적표처럼 교육생 각자의 점수를 알려주었다. 그에 따라 표창장을 받게 되는 사람이 드러났는데… 놀랍게도 그 명단에 나는 들어가지 못했다. 분명 내 점수가 높다고 들었는데 실제로 확인해 보니 안타깝게도 커트라인에 걸려 있었다.

　기대가 클수록 실망도 크다. 그동안의 노력이 물거품처럼 흩어지는 것만 같았고, 무거운 먹구름이 나를 휩쓸고 지나가며 내 온몸의 기운을 앗아간 듯했다. 나는 현실을 받아들일 수 없었다. 이미 벌어진 일이니 어쩔 수 없다면 최소한 왜 이런 일이 벌어졌는지라도 이해하고 싶었다.

　그러자 하나둘씩 이유가 나타났다. 개인적으로 받은 상점이 있었는데 그게 조교의 실수로 게재되지 않은 것, 억울하게 받았던 벌점 하나… 하지만 결정적인 건 아무래도 옆 번호 교육생의 부주의였다.

　분대장 교육이 끝날 때쯤 교육생들끼리 행하는 상호평가가 있었다. 각 생활관 인원별로 진행되었는데, 그전에 한 교육생이 말한 게 있었다. 곧 있으면 상호평가라는 걸 하게 되는 데, 자기 부대에서 먼저 교육받고 온 선임들에게서 들은 게 있다는 것이다. 그건 평가 방법이다.

한 생활관 안에도 인원이 꽤 된다. 따라서 1주일 정도 진행되는 교육으로는 모든 사람이 서로가 서로에 대해 객관적이고도 구체적인 평가를 하기 어렵다. 그렇기에 한 사람당 좋은 평가를 주고 싶은 교육생과 그 반대인 교육생을 한 명씩 적어 내는 게 평가 방법이 될 가능성이 높다고 했다. 이후 실제로 그런 방식으로 상호평가가 진행되었다.

그 교육생은 추가로 한 가지 의견을 제시했는데, 아무래도 다들 평가에 민감할 수밖에 없고 함께 고생한 입장도 있고 하니 최소한 이 생활관 안에서만큼은 전부 평균으로 맞추자는 것이었다. 그건 어떻게 하느냐. 배정받은 자리에 따라 자기 한쪽 옆 사람에게 좋은 점수를, 반대 옆 사람에게는 나쁜 점수를 주자는 것이다. 그럼 돌고 돌면서 결국 모두가 좋은 표 한 장, 나쁜 표 한 장씩 받게 되니 누군가 특별히 억울할 일 없이 평균을 맞출 수 있다는 것이다.

음… 사실 미안하지만, 함께 생활하며 경험한 행실을 봤을 때, 그 의견을 낸 교육생은 애초에 좋은 평가를 받기는 어렵지 않을까 싶었던 사람이었다.

난 내심 나쁜 평가는 없고 좋은 평가를 몇 개 정도는 받을 수 있을 거로 생각했다. 최소한 한두 개라도. 단체를 위해 내 일 이상을 했고, 이래저래 도움을 주면서 좋은 관계를 맺은 사람들도 있었기 때문이다.

사단장 표창은 우리 생활관뿐만 아니라 전체 인원을 대상으로 한다. 같은 생활관 안 사람들을 넘어 전체 인원과 경쟁해야 했다. 나로서는 전혀 구미가 당기지 않는 아이디어였다. 하지만 결국 우리 생활관의 전체 의견은 이렇게 맞춰졌고 나는 딱히 반대 의견을 내지 못했다.

그렇게 서로 약속한 방식대로 상호평가를 제출했는데… 이럴 수가. 최종 점수를 받아 보니 내 상호평가 점수가 낮았다. 아무리 생각해도 뭔가 이상했다. 혹시나 싶어 같은 생활관에서 친하게 지낸 다른 교육생들의 상호평가 점수만 살짝 물어보니 다들 나보다 점수가 높았다. 서로 약속한 방식에 의하면, 설령 우리 생활관 사람들의 상호평가 점수가 이번 기수 전체와 대비해 대체로 낮게 자리 잡고 있더라도, 일단 이 안에서 서로 다를 수는 없었다. 말이 되지 않는다.

내 최종 점수를, 그리고 커트 라인에 걸려 아쉽게도 상을 받지 못하게 되었음을 알게 된 주위 교육생들이 나를 위로 해줬다. 그리고 상호평가 점수를 보고는 함께 약속한 입장에서 다들 의아해했는데, 결국 이런저런 이야기를 하는 과정에서 원인을 알게 되었다.

내 바로 옆 교육생이 서로 약속한 평가 방식을 반대로 이해한 것이었다. 그것도 나에게 좋은 표를 줬어야 하는 그 교육생이 말이다. 그러니 난 우리 생활관 안에서 유일하게 좋은 표 하나 없이 나쁜 표만 받은 교육생이 된 것이다. 이러면 생활관 내 상호평가 꼴찌일 수밖에 없다.

진실이 드러나는 순간, 실수한 동료 교육생은 본인도 놀랐는지 혹은 민망했던 것인지, 아니면 아직도 이해하지 못했던 것인지 나에게 '미안하다'는 말 한마디조차 하지 않은 채 얼굴을 마주치지 못하고 그렇게 자신의 부대로 떠나갔다.

지금이야 옛 추억이다. 이 글을 쓰기 위해 자료를 찾고 과거를 회상하기 전까지는 잠시 잊고 있었다. 하지만 당시, 그 당사자에게 직접적으로 뭐라고 하지는 않았지만, 사실 내 아쉬움만큼이나 그 교육생을 원망하고 싶은 마음이 컸었다. 실제로 화도 났다. 내가 받은 상점을 게재하지 않고 억울한 벌점을 받게 했던 조교들에게도 쬐끔.

이렇게 사단장 표창에 대한 내 기대는 날아갔다. 내 도전은 결국 실패로 끝이 났다. 그럼에도 최종 점수가 높았기에 이후 포대장이 별도로 포상 휴가를 하나 챙겨주었다. 이별에 대한 아픔은 새로운 인연으로 치유한다던가. 생각하지 못한 포상을 챙겨 받은 덕분에 기분을 푸는 데 큰 도움이 되었다. 그리고 이런 실망과 허탈함의 경험들은 딱히 유쾌하지는 않았지만 그래도 결국 마음을 다스리는 법을 익히는 실전 연습이 되었다.

어차피 다들 원치 않는 환경 속에서 고생한 사람들, 내 원망은 내가 내려놓았으니 다들 그냥 잘 지내시길 바란다. 지금이야 뭐 사단장 표창이 있든 없든 나에게 무슨 상관이겠나.

시간이 모든 걸 해결해 주지는 않는다. 그래도 시간이 꽤 많은 걸 해결해 주고는 한다.

탄피가 사라졌다

어느덧 병장이 되었고 조금씩 전역도 가까워졌다. 그럼에도 일상은 크게 다를 바 없었다. 정해진 대로 집합하고, 헤쳐서 작업을 한 뒤, 다시 모여 혹시나 사라진 사람이나 짱박힌 인간은 없나 확인한 뒤 또 다른 임무를 할당받는 그런 일상.

오전, 오후의 업무를 마치고 저녁 식사 시간이 가까워질 때쯤이었다. 사람이 그렇다. 때로는 그냥 직감적으로 뭔가 잘못되었음을 안다. 뭔가 잘되었을 때마다 잘못되었을 때 특히나 그렇다.

특별히 전해 받은 소식도 없고 눈으로 확인한 것도 아닌데, 옆 포대의 기운이 어딘가 모르게 평소와 달랐다. 고요한데 혼란스럽다고 해야 할까. 무슨 일인가 싶어 저 멀리서 바라보니, 분명 일과 시간이 끝났음에도 생각만큼 사람들이 보이지 않았다. 몇몇 남아 있는 소수 인원의 움직임에는 이 상할 만큼 긴장감이 서려 있었다. 뭔 일이냐고 물어볼 입장도 아닌지라 그냥 그렇게 넘어갔다.

이윽고 날이 어두워져서야 사람들이 복귀했다. 그리고 갑자기 계획에 없던 다음날 배차가 대폭 늘어났다. 부대 밖으로 운전을 나갈 차량과 그 차량을 맡을 운전병들이 늘어났다는 것이다. 그 대상에는 나 역시 포함돼 있었다.

고요한 혼란을 감지했을 때까지는 어디까지나 남의 일이었다. 지금은 아니다. 당장 내 일이 되었으니 말이다. 어디로 나가는지를 확인하니 사격장이었고 주된 임무는 인원 수송이었다. 그리고 그 이유는 탄피였다. 탄피가 사라졌다!

오늘은 옆 포대에서 사격 훈련을 하는 날이었다. 아마 계획대로 잘 사격했을 것이다. 그런데 문제는 부대원들이 쏜 총알의 개수와 회수한 탄피의 숫자가 맞지 않았다는 점에 있다. 현장에서 확인한 결과 딱 탄피 한 개가 모자랐고, 그로 인해 옆 포대원들이 사격장을 뒤지며 이를 찾느라 늦게까지 부대로 복귀하지 못한 것이다. 그러다 날이 어두워져 도저히 수색할 수 없는 상황이었고 끝내 찜찜하게 돌아오게 된 것이다.

찾아야 한다. 반드시 찾아야 한다. 해야 한다면 해내야 하는 게 군인의 마음가짐이다. 아마 그런 마음을 간부들 전체가 공유했을 테다.

이제는 옆 포대가 아니라 부대 전체의 일이 되었다. 다음 날, 옆 포대원 대부분이 다시 사격장으로 향하는 것은 물론이고, 우리 포대를 포함해 다른 포대에서는 인원을 차출해 지원했다. 그리고 우리 부대에 원래 있었는지 아니면 다른 부대에서 빌려왔는지는 잘 모르겠지만, 내가 병장이 될 때까지 거의 본 적이 없던 금속 탐지기들도 동원됐다.

한적한 시골 어느 외진 숲 근처의 야외 사격장. 우리는 도착하자마자 거대한 인간 띠를 만들었다. 총을 쏘는 사격대에 한 줄, 표적이 세워지는 반대편 끝에서 한 줄. 탄피가 탄두보다 멀리 나가겠냐만은 그 가능성마저 배제하지 않을 만큼 탄피 한 개의 가치는 컸다.

그렇게 우린 대규모 소개팅이라도 하듯이 서로를 향해 걸었다. 대신 상대의 얼굴이 아니라 오로지 땅 밑만을 바라보며. 야외 사격장이었고 바닥엔 잡초가 깔려 있었기에 생각보다 많은 집중이 필요했다.

어느 가수는 자신의 노래 가사로 말했다. 태양을 피하고 싶다고. 그 마음은 유명 가수에게만 있지 않다. 대부분의 병장들도 그렇다. 병장이 될수록 따가운 햇살을 피해 어딘가로 숨어들어 가는 생태학적 경향이 있는데, 여긴 개활지에 보는 눈도 많아 도저히 피할 곳이 없었다. 게다가 사람들에게 미안해하면서도 반드시 찾아내야만 한다는 열의를 뿜어내고 있는 옆 포대장의 기운을 감지한다면 그냥 그렇게 땅을 볼 수밖에 없었다.

뭐, 어찌 보면 잔뜩 힘을 써야 하고 온몸에 기름을 묻혀야 하는 일보다는 편한 일일지도 모른다. 게다가 마치 전설처럼 말로만 들었던 '탄피가 사라진' 현장을 직접 확인하는 경험이기도 하고. 그런 생각으로 마음을 편히 가졌다.

마음을 편히 가지니 조금은 산책처럼 느껴지기도 했다. 일체유심조. 역시 모든 건 사람의 마음가짐에 달린 것인가. 마음 안에서 펼쳐지는 작용인 것인가.

그렇게 혼자만의 수행을 하며 걸음을 옮겼다. 그러다 햇살의 반짝임이 하늘이 아닌 땅에서도 느껴지기에 그 반짝임을 주웠다. 자리에 서서 주위를 둘러보니 마침 간부 한 명이 보였다. 가만히 다가가 그에게 내가 경험한 반짝임을 건네며 간단히 말했다. "이거 주웠습니다." 탄피였다.

"포대장님! 찾았습니다!"

그 간부는 저 멀리 있던 옆 포대장에게 말했다. 그 순간 모든 사람의 시선이 쏠렸고, 그 포대장은 부리나케 달려왔다. 평소 깊게 대화를 나눠본 적은 없다. 정확히 어떤 분인지는 내가 잘 모른다. 하지만 그렇게 밝게 웃는 모습은 군 생활 내내 본 적이 없었다.

내가 주은 반짝임이 진짜 탄피인 것을 확인한 순간, 그 포대장은 덜컥 내 손을 잡았다. 나에 대한 아주 우호적인 말들과 긍정적인 평가를 해주었는데 그 내용까지는 기억이 나지 않는다. 다만 한가지 기억나는 건 있다.

"태화야. 넌 내가 휴가를 뭐라도 하나 챙겨준다."

도파민이 폭발하는 듯한 엄청난 기쁨과 즐거움의 기운을 담아 나에게 포상 휴가를 약속해 주었고, 그 말을 들은 나 역시 도파민 호르몬이 자극되어 온몸의 세포들이 요동치기 시작했다.

그렇게 난 부대의, 특히 총책임자인 옆 포대장의 영웅이

된 채 부대로 복귀했다. 무려 잃어버린 탄피를 찾아낸 주인 공이 나라는 소식이 부대에 퍼지기 시작했고, 선임도 후임 도, 몇몇 다른 포대의 아저씨들도 나에게 찾아와 축하한다 고 말을 건넸다. 그래서 포상휴가는 얼마를 받냐고 물어보 는 사람도 있었다.

그런 기쁨의 순간들이 지나고, 나는 고민했다.

이미 병장이다. 위문소 밖을 나가 시야 밖에서 완전히 사 라지는 순간까지는 긴장을 놓을 수 없지만, 그래도 점점 집 에 갈 날이 보이기 시작했다. 게다가 지난 노력들의 결과로 인해 그동안 쌓아놓은 휴가들이 있었다. 군인에게 많으면 많을수록 좋은 게 휴가지만, 그래도 남은 날에 비하면 내가 누릴 수 있는 휴가일수는 남부럽지 않은 정도였다. 이 상황 에서 내가 휴가를 더 꽉꽉 채우는 건?

나에게는 기본적인 권리다. 정당하다. 아무 잘못이 없다. 내가 받을 휴가를 내가 받는 게 무슨 잘못인가.

하지만 군인에게 휴가가 얼마나 귀하고 기쁜 선물인지 아 는 만큼, 이 기쁨을 좀 더 사람들과 나눌 수 있는 방법이 있 지는 않을까.

'그래. 포상을 받으면 그동안 함께 고생한 후임에게 휴가를 나눠줄 수 있는지 한번 여쭤보자.'

아직 포상휴가가 얼마큼 나올지, 나의 선택과 포대장의 재량으로 다른 후임에게 휴가를 나눠줄 수 있는지를 모르는 상황. 일단 그렇게 고민에 대한 내 답을 내려놓은 채로 포상휴가가 내려오기를 기다렸다.

그렇게 기다렸다. 그리고 또 기다렸다. 하지만 그 포상휴가보다 내 전역이 더 빨리 찾아왔다. 분명 내 두 손을 꽉 잡으셨던 옆 포대장의 기세로는 당장에라도 거대하고 아름다운 포상휴가를 줄 분위기였는데, 결국 아무런 포상은 없었다. 잃어버린 탄피는 되찾았는데 구두로 약속받은 포상휴가는 끝내 찾지 못했다.

어떠한 사정이 있는지는 모르겠다. 딱히 이야기를 들은 게 없고 굳이 찾아가 물어보지도 못했다. 기다리면 어련히 알아서 챙겨주겠거니 했지만, 그냥 그렇게 시간은 흘러갔다. 지금의 나였다면 한 번쯤 찾아가서 넌지시 이야기를 해봤을까?

모르겠다. 어쨌든 그땐 그게 내 선택이었다.

돌이켜 보며 그나마 잘했다고 생각하는 게 있다. 괜히 후임들에게 휴가를 건네주겠다고 설레발치지 않은 것이다. 그랬었다간 앞날이 까마득한, 그리고 어느 누구보다 휴가 고픈 후임들에게 커다란 실망만 줬을 것이다.

내가 통제할 수 없는, 내 권한이 벗어난 미래의 일에 대해선 입을 다물어야겠다. 옆 포대 누군가가 잃어버린 탄피가 나에게 주는 교훈이다.

내가 받은 휴가를 분석해 보니

입대하며 나만의 군 생활 목표를 정했고, 매 순간 이를 기억하며 주어진 시간에 최선을 다하고자 노력했다.

하지만 나도 신체적 한계와 감정의 변화를 가진 사람이고, 군 생활 자체가 내 생각대로 되지 않는 일의 연속인 탓에 중간중간 심신이 지칠 때가 많았다.

그때 휴가는 나에게 좋은 동기부여 요소가 되었다. 대부분 군인에게 '전역' 다음으로 가장 크게 와닿는 선물이지 않을까.

어느 날 가족 중 한 명이 농담 삼아 "군 생활 편하게 하는 거 아니냐?"라고 놀린 적이 있다. 내가 너무 자주 나온다는 것이다.

군 생활 중인 지인들을 보며 느낀 게 있다. 남의 휴가는 무지 빈번한 것 같고 남의 전역은 무지 빠른 것 같다. 휴가 나온 군인을 보면 '또?'라는 생각이 들고, 전역한 군인을 보면 '벌써?'라는 생각이 든다. 심지어 나 역시 군 생활을 해놓고서도 말이다.

같은 일에서도 당사자와 타인이 느끼는 게 이렇게나 다르다. 그런데 실제 내가 출타한 날들을 살펴보니, 실제로 많이 나오기는 했다. 우리 부대에서 휴가를 가장 많이 받은 사람 중의 한 명이 나이기 때문이다.

재미 삼아 분석을 해보았다. 외출, 외박, 휴가를 모두 '출타'로 묶고, 이를 다시 그 사유를 바탕으로 5가지로 분류했다. 정기출타, 공로포상, 단체포상, 위로포상이다. 참고로 질병이나 부상 등으로 인한 공가나, 가족의 경조사 등으로 인한 청원휴가는 없다.

정기출타에는 군인 모두에게 주어지는 100일휴가(신병위로휴가), 계급별 정기휴가, 성과제가 있다. 공로포상에는 집체교육에의 성적 우수, 표창, 모범병사 등 개인적인 성과로 받은 포상이다. 단체포상은 훈련이나 특별한 사유로 인해 포대(중대)급 이상의 인원이 단체로 받은 포상이다. 마지막으로 위로포상은 이발병, 태권도 조교, 분대장 등 특정 임무를 수행함으로써 받은 포상이다.

내 경우 아무래도 정기가 가장 비중이 높았고 공로포상, 위로포상, 단체포상이 그다음을 이었다. 결과적으로 100일 조금 넘게 부대 밖의 공기를 마실 수 있었고, 휴가를 통해 자체적으로 군 생활을 줄여볼 수 있겠다는 내 생각을 어느 정도 현실로 만들 수 있었다.

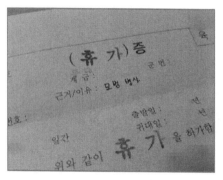

◀

모범 병사로 선정되어
받은 휴가증

누군가는 결과만 보고 부러워할 수도 있다. 분명 운도 작용했을 것이다. 하지만 부대 안에서의 내 밀도와 과정을 아는 사람들은 대부분 내 결과를 인정해 주었다. 부대 안에서 기본 보직 외에 7개 이상의 역할을 맡았고, 기본적으로 보장되어야 하는 자유시간이나 휴식 시간에도 작업에 투입된

적이 많았기 때문이다.

그러면서도 내가 해야 하는 일은 허투루 하지 않으려 했고, 조직 안에서 불성실하거나 요령 피우는 사람은 되지 않으려 부단히 움직였다. 어느 날은 부대의 살림꾼인 행정보급관이 전체 인원이 집합한 자리에서 내 이야기를 했다. 쟤가 연등을 한다고 해도 본인이 뭐라고 안 하는 건 평소 일과 시간에 그만큼 자기 할 일을 열심히 하기 때문이라고.

물론 내가 한 것들이 모두 다 내 생각대로 좋은 결과로 돌아온 것은 아니었다. 좋은 결과로 돌아온들 그게 포상휴가는 아닌 경우가 많았다. 그럼에도 내가 한 건 반복된 시도였다. 설령 그게 나에게 낯선 일이라도, 때로는 의미 없어 보이는 일일지라도 말이다.

갑자기 웅변대회에 나갈 사람이 필요하다며 인원을 모았다. 간부들 앞에서 생전 관심도 없던, 아니 오히려 아무것도 모르는 초등학생일 때조차 수치스럽게만 느껴졌던 웅변을 펼쳤다. 결국 다른 선임이 나가게 됐다. 예선 탈락이다.

아무것도 없는 상태에서 갑자기 상급 부대에서 여는 공모전에 보안 포스터를 제출해야 한다고 했다. 난 공대생이다. 사람은 매번 졸라맨과 같이 원과 직선으로 그렸다. 그 상황에서도 포대 대표로 보안 포스터를 만들어 내어 제출했다. 단박에 떨어졌다.

유격 훈련을 받고 힘들어 죽겠는데 소감문을 작성하란다. 작성했다. 하필이면 나를 부르더니 졸지에 방송실로 가서 전 부대원이 듣도록 내 소감문을 낭독하라고 했다. 사실 이런 건 한 번 더 있었다. 병영 문화 지킴이로서 나의 계획을 작성하라더니, 하필 또 나를 부르더라. 그걸 전 부대원이 듣도록 낭독했다. 내게 돌아온 건 민망함뿐이었다.

포상만을 위해 이것저것 도전한 건 아니다. 내 목표 중 하나가 '다이나믹 군 생활'이지 않은가. 나 자신, 내 삶을 위해 그렇게 열심히 도전했다.

한자 자격증을 따야겠다며 틈틈이 공부했다. 시간이 없어, 손바닥만 한 종이 몇 장에 잘 외워지지 않는 한자들을 적어 두고, 심지어 장거리 행군을 하면서도 잠시 휴식 시간이 있을 때 한 번씩 꺼내어 보고는 했다.

그런데 그렇게 하고도 끝내 한자 자격증은 따지 못했다.

좌우뇌의 균형적 발전을 이루겠다며 왼손 글쓰기를 연습한 적도 있다. 왼손 글쓰기가 우뇌 발전에 도움 된다는 이야기를 어디서 들은 게 있기 때문이다. 연습장 한 권을 구해 왼손으로 선 그리기부터 시작해 점차 글씨를 써보고는 했다.

한 번도 해보지 않은 일이라 직선조차 그리지 못했는데, 신기하게도 시간이 지날수록 삐뚤기만 했던 직선이 점점 곧게 변해가는 걸 확인할 수 있었다.

하지만 그때뿐이었다. 실제로 글씨를 쓸 수 있을 정도까진 발전하지 못했고, 당연히 지금도 왼손 글쓰기를 못 한다. 아니, 내가 어느 정도인지 자체를 모르겠다. 아예 생각 자체를 해본 적이 없으니 말이다. 사실 왼손은 무슨, 요즘에는 오른손으로 글을 쓰는 것조차 어색하다. 대부분 키보드로 글을 쓰니 말이다.

그래도 군 생활 중 매일 한 페이지씩 연습해 연습장 한 권을 채우겠다는 나와의 약속은 지켰다. 나에겐 그걸로 충분하다. 어쩌면 내가 할 만큼은 충분히 했다고 느꼈기에, 더이상 왼손 글쓰기가 떠오르지 않았던 건지도 모른다. 만약 그때 하지 않았더라면, 비록 남들이 봤을 때는 '이게 무슨 의미가 있나?' 싶은 바보 같은 짓거리로 보일 수도 있겠지만 나에겐 아쉬움 혹은 호기심이 지금껏 남아 있었을지도 모른다. 일단 해봤으니 마음에 미해결된 과제로 남아 있지 않은 것이다.

무언가를 시도한다고 그게 다 내 마음대로 되는 건 아니다. 내가 열심히 한다고 해서 그게 다 원하는 성과로 되돌아오는 것도 아니다. 그래도 도전할 때 기회가 생기는 건 맞다. 기회라는 게 내 마음 같지는 않지만, 최소한 내가 문은 열어놔야지 그 기회가 찾아올 가능성은 생긴다. 비록 그 문으로 들어오는 건 타인과 세상의 몫일지라도 말이다.

진인사대천명. 일단 나의 일을 하고 그다음에 세상의 뜻을 기다리자.

이렇게 군대 이야기를 쓸 수 있는 건

전역한 지는 시간이 꽤 지났다. 예비군조차 끝난 상황이다. 그럼에도 이렇게 군대 이야기를 쓸 수 있는 이유는 무엇일까. 내가 모든 걸 다 기억하고 있어서일까.

아니다. 군 생활이 내 삶에서 강렬한 추억이긴 하지만 이걸 모두 기억하고 있을 만큼 내 기억력이 좋지는 않다. 그 이후 삶에서도 군 생활 못지않은 강렬한 추억이 많기에 굳이 이것 하나만 안고 있을 수도 없고.

그럼에도 내가 이렇게 군대 이야기를 쓸 수 있는 건 '기록' 덕분이다.

내 생각대로 되지 않는 군 생활이지만, 이 기간을 결코 허투루 보내고 싶지 않았다. 그러기 위해서는 무엇이 필요할까.

내 열정? 의지? 이건 당연하다. 하지만 의지와 열정은 항상 변한다. 뜨거울 때가 있다면 식을 때도 있다. 세상에 변하지 않는 것은 없으며 인간인 이상 항상 최고의 심신 상태로 유지할 수는 없다.

대신 이런 오르락내리락 속에서도 어느 정도 일정 수준을 유지해 줄 장치가 필요한 데, 그게 나에겐 기록이었다. 기록하는 순간 나 자신과 내가 나아가고자 하는 방향을 돌아보며 다시 궤도를 유지할 수 있기 때문이다. 이 점을 알기에 '다이나믹 군 생활'에 이어 내가 군 생활 목표로 잡은 것 중 하나가 '기록하는 군 생활'이었다.

기록에 특별한 비법이나 고가의 방법론이 있었던 건 아니다. 그저 나의 군 생활을, 매일을 마주하며 드는 내 생각이나 감정 등을 차곡차곡 적을 뿐이었다.

대단한 곳에 기록한 것도 아니다. 입대할 때는 아무래도 여유도 없을 테고 소지품에 제한도 많으니, 문구점을 뒤져 신분증이나 체크카드보다 작고 내 손바닥만으로도 가려지는 앙증맞은 수첩을 하나 구해 들어갔다.

당연히 가만히 책상에 앉아 여유 있게 글을 쓰고 기록할 수 있는 시간 같은 건 없었다. 대신 쪼그려 앉아서든 서서든 잠시 기회가 생겼을 때 간단한 키워드 위주로라도 기록을 남겼다.

역사를 기록하는 사관들처럼 무슨 대단한 사명은 안고 조선왕조실록이라도 만든 건 아니다. 대단한 내용도 아니다.

"밥 먹고 오줌 누고 오기 중요"

- 훈련소에서. 밑줄도 침.

"말년 휴가 가지롱, 메롱"

- 훈련소 내무실에 들어온 어느 병장의 한 마디.

"너무 심하게 잠 온다. 너무 피곤해. 뭐 이렇게까지 잠이 오는 건지"

- 종교시설에서 정신교육을 받으며.

"무지 피곤하다. 하지만 힘들다고 자기계발을 포기할 순 없지!!!"

- 야간 경계근무를 마치고 돌아와서

"상황이 열악해도… 열심히 하자! 꾹 참고 힘내자"

- 일병 어느 날, 연등을 하며.

"이제 본격적인 공부를 시작해야겠다. 휴가 갔다 오면서 한자 공부도 제대로 하고."

　　　– 이때는 몰랐지. 끝내 한자 자격증을 따지 못할 줄.

"답답하다. 다들 열심히 하는데… 시간이 너무 없다."

　　　– 승단 심사 전 태권도 교육을 하면서.

부대 안에서의 내 일상, 사건에 대한 내 생각, 미래를 향한 내 다짐, 여러 인생 고민, 소중한 사람들에 대한 내 마음, 요동치는 감정의 변화들….

그렇게 입대하는 순간부터 전역하는 날까지 매일 뭐라도 적었다. 뭐라도 적다 보니 그게 쌓였고, 결국 군대에서 나눠준 수양록을 제외하고도 총 6권의 수첩을 남길 수 있었다.

▲ 군 생활 동안 사용했던 수첩들.

방식도 장소도 내용도 모두 대단할 게 없었다. 하지만 이런 꾸준한 기록 자체는 내 군 생활에 대단한 효과를 가져다주었다.

쓰면서 자연스레 내 혼란스러웠던 생각을 차분히 정리할 수 있었다. 생각대로 되지 않는 답답한 일상 속에서 다시 한 번 초심을 되찾고 열의를 다질 수 있었다. 결코 아무에게도 말할 수 없었던 힘든 마음을 털어놓을 수 있었고, 속에서 쌓여 올라오는 감정을 조금이나마 해소할 수 있었다.

쓰고 나니 비록 흑역사가 가득할지라도 이렇게 지나간 내 역사를 되돌아볼 수 있고 그 과정에서 추억도 떠오르며, 스스로 부족했던 점을 돌아보고 고마웠던 사람들에게 다시 한 번 감사한 마음을 가질 수 있다. 그리고 지금처럼 글도 끄적일 수 있는 기회를 얻었다. 누군가에게 조금이나마 공감과 위로와 도움이 되었으면 하는 마음으로.

기록이 필수는 아니다. 기록하지 않더라도 그 경험과 추억은 사람의 마음속에 담겨 있다. 그것만으로도 값진 일이다. 다만 이왕 보내는 군 생활을 더 충실히 잘 보내고 싶은 사람이 있다면, 그 사람에게 나는 기록을 제안한다. 어떠한 방식이든 어떤 내용이든 그건 본인의 선택이고 자유다.

아마 대부분은 나처럼 시답잖은 끄적임의 연속으로 95% 를 채울지도 모른다. 그럼에도 기록을 제안하는 건, 그 시답 잖은 뭐라도 꾸준히 기록하는 행위 자체가 본인의 군 생활 을 의미 있게 만들어줄 것이기 때문이다.

또한 남들이 뭐라든 간에, 설령 대단한 내용이 없을지언정 그 기록 속에 담긴 본인의 삶은 본인에게 특별하기 때문이 다. 단 하나밖에 없는 삶이지 않은가. 그것만으로도 충분하 다.

◀

언제든 기록할 수 있도록 전투 복 주머니에 항상 넣어 다녔다. 그만큼 많이 닳았고, 훈련 및 작 업 중에 물에 젖기도 했다.

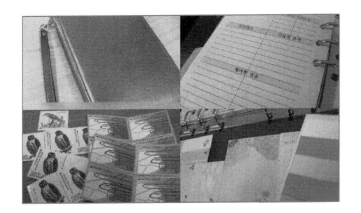

▲ 마지막에는 케이스가 있고 속지를 갈아 끼울 수 있는 바인더 형식의 다이어리를 사용했다. 조금 더 체계적으로 기록하기 위해서다. 전역 후 자기관리에 활용할 나름의 시스템을 실험하려는 목적도 있었다. 속지 양식은 나에게 맞게 직접 출력해 제작했고, 케이스 수납공간에는 책갈피, 접착 메모지, 우표 등을 넣어 두었다. 그러나 군대에서는 휴대하기 쉽고 단순한 게 제일 좋다고 생각한다. 하루에 한 줄이라도 꾸준히 기록하는 습관을 만드는 게 먼저다.

곰신-군화 커플의 결말

내 군 생활 목표는 크게 3가지였다. 앞서 언급한 다이나믹 군 생활, 기록하는 군 생활. 그리고 마지막은 '함께하는 군 생활'이다.

입대하며 소중한 사람들과 떨어져야 했다. 이건 어쩔 수가 없다. 하지만 계속해서 이 사람들과 함께하고 싶었다. 그런 마음에서일까. 유치원, 초등학생 시절의 강제 숙제가 아닌 이상에야 절대 쓸 일이 없던 편지를 썼다. 가족에게.

뭐라고 썼는지는 기억나지 않지만 지금 그 내용을 추정하는 것만으로도 오글거림이 올라온다. 만약 그 편지가 지금 남아 있다면 단번에 파쇄 후 그 잔여물마저도 소각하고 싶을 정도로 민망한데, 그땐 그게 나의 선택이었다.

지금 생각해 보니 이건 다양한 경험을 해보겠다는 '다이나

믹 군 생활'에 포함되는 활동이지 않았나 싶다.

입대하기 전날 밤, 군대에 가지고 갈 수첩의 가장 앞 몇 장에 친구들의 주소와 연락처를 적었다. 군 생활을 하며 수첩이 바뀔 때마다 매번 그 주소와 연락처를 업데이트하며 옮겨 적었다. 한 번씩 연락도 하고 편지도 보내기 위해서였다. 당시엔 개인 휴대전화 사용은 상상도 할 수 없었기에 이게 내가 할 수 있는 최선이었다.

남중, 남고, 공대 출신이라 거의 모든 친구가 남자다. 그 나이대의 남자들 역시 비슷한 시기에 군대에 들어갔다. 졸지에 군인 아저씨들끼리 서로의 부대로 편지를 주고받는 밀리터리 펜팔을 경험해야만 했는데, 사실 남자들끼리 특별히 할 말은 없더라. 그래도 보내면 답장은 왔다. 상대 역시 별로 할 말이 없는 건 매한가지였지만. 서로 생존 여부를 확인하는 것만으로 족하다.

다 소중한 사람들이지만, 아무래도 가장 많이 신경이 쓰였던 건 그리고 당시 나에게 가장 큰 영향을 준 인물은 여자 친구였다.

결론부터 말하자면 그 친구와는 군 생활 동안 헤어지지

않고 잘 사귀었다. 전역을 하고도 몇 년을 더 잘 사귀었다. 그리고 서로 인연이 다 된 어느 시기에, 서로를 응원하며 자연스레 헤어졌다.

나로서는 지나간 인연에 관해 이야기하는 게 조심스럽다. 영원을 꿈꾸는 수많은 곰신-군화 커플의 마음을 알기에 더욱 조심스럽다. 혹시나 내 결론이 누군가에겐 보고 싶지 않고 듣고 싶지 않은 이야기일까 싶어 신경도 쓰인다.

음… 아니려나? 생각해 보니 꼭 그렇지는 않을 수도 있겠다. 당시 주위로부터 이런 이야기를 종종 들었다.

'일말상초 알아? 일병 말, 상병 초의 줄임말인데 대부분 이때 많이 헤어진대', '일말상초 끝나면 될 거 같지? 오히려 병장 돼서 헤어지는 경우도 많아', '전역할 때쯤이나 전역하고 나서가 더 위기래. 생각이 바뀌거든' …

이렇게 온갖 위기설이 난무했지만, 난 콧방귀도 뀌지 않았다. 그냥 나와는 상관없는 이야기처럼 들렸기 때문이다. 나는 다를 수 있다고 생각했기 때문이다. 실제로 다르기도 했고.

그리고 미래는 알 수 없다만, 당시 나는 그냥 내가 할 수 있는 일에 집중하기 바빴다. 아마 이 글을 읽는 곰신-군화 커플들에도 나와 같은 사람이 있지 않을까 싶다.

어쨌든 이 상황 속에서 내가 할 수 있는 무엇일까.

물리적 거리, 연락 수단의 제한, 이 사실 자체는 내가 어찌할 방법이 없었다. 물론 이 사실이 나에겐 너무나도 큰 답답함과 미안함, 좌절감, 무기력으로 다가올 때가 많았다. 특히 상대가 정말로 나와의 대화를 필요로 할 때 먼저 연락할 방법이 없어 힘들어하는 모습을, 남자 친구로서 그저 가만히 보고 들어야만 하고 직접적으로 해결해 줄 수 있는 방법이 없다는 게 너무 미안하고 힘들었다. 비록 제한적일지라도 내가 휴식 시간에 전화를 걸 수는 있지만, 상대는 다짜고짜 부대로 전화해 나를 바꿔 달라고 할 수 없으니 말이다. 상대는 항상 긴장과 기다림 속에서 내 연락을 기다려야만 했다. 지금이야 장병들이 개인 휴대전화를 소유할 수 있기에 상대가 먼저 메시지를 보낼 수도 있겠지만 당시에는 그렇지 않았다.

상대는 편하게 내게 전화를 걸 수 없다. 대신 나라도 최대한 자주 전화를 걸 수 있도록 노력했다. 자유시간엔 최대한 내 할 일을 빠르게 처리했고, 설령 남은 자유시간 모두를 할애하더라도 전화 한 통을 할 수 있다면 기꺼이 전화기 앞에서 기다렸다. 부대 인원에 비해 제한된 전화기 개수 탓에, 간혹 애정 넘치는 병장이 혼자 전화기를 독식할 때면 진짜 그렇게 줄만 서 있다가 끝나는 날도 있었다. 겨우 전화할 차례가 되었을 때 갑자기 집합하거나 작업 인력으로 차출되었을 땐 화가 났다. 우여곡절 끝에 겨우 전화를 걸고 얼마 이야기를 하지도 못했는데 시간이 다 되어 끊어야만 할 때, 아쉬운 마음에 '끊지 마', '더 통화하면 안 돼?'라고 말하는 여자 친구에게 할 수 있는 말이 없을 때는 내가 군인인 게 원망스럽기까지 했다.

그래도 이 상황 속에서 내가 할 수 있는 최선의 일이었다. 나는 그 일을 해야 했다. 상대를 위해서도 나를 위해서도.

이와 함께 편지도 좋은 방법이었다. 전화 통화는 전화기 개수도 부족했고 할 수 있는 시간도 정해져 있었고 때로는 간부들이 통제 차원에서 금지할 때가 있었지만, 대신 편지는 조금 더 자유로웠다. 쓰다가 갑자기 무슨 일이 생기면, 잠시 멈췄다가 다시 글을 이어갔다. 물론 흐름은 다 깨졌지만 말이다.

그래서 꽤 많은 편지 내용이 앞뒤 구조가 다 깨졌고 맥락

없이 중구난방이었다. 내가 봐도 글이 혼란스러워 여자 친구에게 내 편지 글쓰기 규칙을 공유했다. 문장 혹은 문단 사이에 " / " 표시가 있으면, 이건 글을 쓰다가 갑자기 중단할 수밖에 없었던 상황이었다고. 그다음에 다시 편지지를 펼쳐 새로운 이야기를 쓰는 거라고. 어느 편지지는 한두 줄마다 " / "가 적혀 있었다.

덕분에 글의 완성도는 바닥을 쳤지만 대신 꾸준히 편지를 쓸 수 있었고, 입대 후 전역할 때까지 수십 통의 소식을 보낼 수 있었다.

내가 할 수 있는 마지막 최선의 방법이라 생각했던 건 휴가다. 무엇보다도 제일 필요한 건 함께하는 시간이라 여겼기 때문이다. 자체적으로 군 생활을 줄여보겠다는 발칙한 발상보다 더 휴가가 간절했던 건 여자 친구와 함께하는 시간 때문이었다. 전화도 편지도 모두 좋은 도구들이지만 바로 옆에서 함께하는 시간만 할까. 그렇기에 더욱더 내가 할 수 있는 일에 최선을 다했고 낯선 일에도 기꺼이 도전했다. 그렇게 포상휴가, 위로휴가를 받아 나갈 때면 군부대가 있는 전방, 부모님이 계신 지방, 여자 친구가 있는 서울을 부리나케 오갔다. 이동에 드는 시간은 많고 잠을 잘 수 있는 시간은 적었지만 그래도 행복했다. 소중한 사람들과 함께할 수 있는 시간이 말이다.

 나의 마음이 상대에게 어떻게 전달되었을지, 내 연락이나 시도들이 어떻게 받아들여졌는지는 내가 100% 온전히 알 수는 없다. 비록 이에 관해 이야기를 나눈 바는 있지만, 심지어 부부 사이에서도 완전히 꺼내 놓지 못하는 속마음 어느 한 편이 있는 게 인간관계의 현실 아닌가.

 그렇기에 나의 실천이 어쨌든 군 생활 내내 안 헤어지고 잘 지낸, 관계에서의 성공을 가져온 요인이라고 단정 짓기는 어렵다. 내가 그랬듯 상대 역시 보이지 않는 곳에서 생각 이상의 많은 애씀과 노력을 펼치지 않았겠나. 그리고 상대가 쏟아준 정성이, 내가 상대로부터 받은 것이 참 많았음을 알고 있다. 그러니 더더욱 단정 짓기 어렵다.

 그럼에도 그나마 다행이라 여기는 건, 그리고 과거의 나에게 '잘했다' 따뜻한 한마디를 건네주고 싶은 건, 비록 어설플지라도 그 순간 내가 할 수 있는 바에 최선을 다했다는 것이다. 비록 부족했을지라도 그 당시 내 마음에 충실했다는 것이다. 그렇기에 조금 더 어른이 된 지금 내 관점에서 피드백할 수 있는 건 많지만 큰 아쉬움은 없다. 다시 돌아가도 그게 최선이었음을 알기에.

소중한 사람들에게도 거리는 필요하다. 그런데 어쩔 수 없이 그 거리가 너무 멀어지는 걸 넘어 단절될 수밖에 없는 사람들을 보면 안타깝다.

그래도 그 상황 속에서라도 할 수 있는 건 하는 게 그나마 할 수 있는 최선의 선택이지 않을까 싶다. 그 선택 자체가 물리적 상황을 바꾸진 못할지라도, 그런 선택에 담긴 정성이 전달되어 서로의 마음은 떨어지지 않게 할 수 있기 때문이다. 비록 물리적 연결은 제한되었을지라도 말이다.

사람의 인연은 어찌 될지 모른다. 만남이 있으면 언젠가 헤어짐이 있는 게 때로는 삶의 가슴 아픈 진리다. 그게 언제 어떤 방식으로 찾아올지는 모르지만, 어쨌든 그전의 순간만큼은 마음껏 사랑했으면 한다. 너무 많이 잴 것도 없이, 유예할 것도 없이 그냥 진솔하게 사랑하길 바란다.

혹시나 인연이 다한다면 그땐 서로의 행복을 빌며 잘 보내주고. 어쨌든 이 거대한 세상 속에서 귀한 인연으로 만났으니 말이다.

이해할 수 없는 인간을 이해하려면

입대 후 훈련소를 마치는 날이었다. 부대별로 차량을 보내 사람들을 데려갔다. 아침부터 그렇게 함께 고생했던 훈련병들이 사라지기 시작했다.

거리가 멀어서일까. 내가 가야 할 곳에선 아직 소식이 없었다. 그러다 점심시간이 되었고, 나를 포함해 몇몇 남지 않은 훈련병들은 훈련소에서 마지막 점심을 먹게 되었다.

배식을 받고 한적한 식당 안에서 밥을 먹고 있는데, 그런 우리에게 담당 조교 몇 명이 찾아왔다. 이제는 그냥 다른 부대 아저씨가 될, 때로는 악마 같던 조교들. 사회에서 만났다면 감히 나에게 함부로 말할 수 없었을 그런 누군지도 모르는 사람들. 쌓인 감정들이 있어 참 달갑지 않은 사람들인데 굳이 마지막까지 시비를 걸려는 걸까. 그렇게 묘한 긴장을 하고 있는 우리에게 그중 가장 선임이었던 조교가 말했다.

"더 먹을래?"

그러더니 배식대로 걸어가 대뜸 스테인리스로 된 반찬통을 통째로 들고 왔다. 그것도 그날 메인 반찬인 닭튀김 반찬통을.

배고픔이 기본값이었던 우리는 동공이 확장된 채 서로를 쳐다봤고, 그런 우리들의 식판에 조교는 먹고 싶은 만큼 충분히 먹으라며 닭튀김을 나눠주었다. 아니, 아예 쌓아주었다. 식판 반찬 담는 곳으로는 모자라 아예 국그릇을 담는 곳에까지. 어릴 적 부모님이 통닭집을 하셨기에 감각적으로 아는데, 이 정도면 분명 1인 1닭은 했다.

환호하는 우리에게 조교들은 먹을 수 있는 만큼 줄 수 있다며 세상 따뜻한 목소리로 더 필요하진 않냐며 물었다.

미운 정도 정인 걸까. 몇 주간 우리에게 지시와 명령만 내리던 사람들과 몇 마디 대화를 나누었다. 육질이 촉촉하고 살코기가 가득한 부위까지 골라 닭튀김을 나눠주던 선임 조교가 말했다.

"우리도 너희들이 고생하는 걸 알기에 다른 건 없고 밥이라도 잔뜩 주고 싶어. 그런데 양은 정해져 있고 인원은 많다 보니 그러지 못해 아쉬웠다. 그래도 오늘은 일찍 나간 인원들이 있어서 너희들에게라도 마음껏 줄 수 있네. 다들 그동안 고생했다. 고생한 만큼 자대 가서는 좀 더 편할 거야. 잘 지내라."

군 생활 동안 사람 때문에 스트레스받는 일이 많았다. 제한된 환경 자체는 그래도 조금씩 익숙해졌지만, 수시로 변화하며 결코 알고리즘대로 움직이지 않는 몇몇 이상한 인간들은 나를 참 힘들게 했다.

'저 인간은 왜 저렇게 살지, 어떻게 이렇게 비상식적일 수 있을까, 순자가 지금 와서 성악설을 주장한다면 저 인간을 자신의 논리를 펼치기 위한 근거 자료로 쓸 수 있지 않을까.'

내가 그동안 함께 어울렸던 사람들, 친하게 지내온 사람들의 기준으로 봤을 때 참 별종이 많았다.

그런데 이건 어디까지나 나의 기준이다. 사람이 그렇다. 문학평론가 신형철 님은 그의 책 《정확한 사랑의 실험》(마음산책)에서 말했다.

"우리는 '타인은 단순하게 나쁜 사람이고 나는 복잡하게 좋은 사람'이라고 믿는다."

훈련소 조교만 해도 그렇다. 사실 나는 그를 잘 모른다. 서기 이천몇 년의 딱 몇 주 동안 조교로서의 그를 한 명의 훈련병으로서 잠시 만났을 뿐, 그가 무슨 생각을 하는지 어떤 마음을 가졌는지 우리가 보지 못하는 곳에서 어떤 선택을 내려왔는지 알 수 없다. 누군가의 아들로서 누군가의 연인으로서 누군가의 친구와 동료로서 그가 타인 및 세상과 어떤 상호작용을 하고 있는지 나는 알지 못한다.

그런데 나는 단지 내 관점에서 때로는 악마처럼 인식하기도, 때로는 생각보다는 나쁘지 않은 사람으로 규정하기도, 때로는 속을 알 수 없는 시커먼 존재로 평가한다. 내 느낌과 내 경험 자체는 주관적 사실이지만, 상대 존재 자체에 대한 규정은 객관적 진실이 될 수 없다.

주관적으로 좋고 싫은 건 좋고 싫은 것이고, 나와 안 맞는 건 안 맞는 것이다. 모두와 잘 지낼 수는 없고 모두를 사랑할 수 있는 역량은 아직 나에게 없다. 그걸 스스로에게 강요하고 싶지도 않다. 그건 나 자신을 향한 또 다른 폭력일지도 모른다. 아름답게 포장된 폭력.

다만 삶의 여러 경험들을 통해 한가지 배워가는 건 있다. 내가 보는 것은 그 사람의 일부이며, 사람들은 모두 각자의 사정이 있다는 것이다. 매몰차게 우리를 통제하고 얼마 되지도 않는 반찬마저 제한하던 조교들도, 속마음과 달리 사실은 결코 용서받을 수 없는 배식 실패와 혹시나 발생할지도 모르는 문제들을 피하기 위해 애를 쓰고 있었던 것처럼 말이다.

한 번씩 생각한다. 저 사람은 서로 사랑하는 이에게 어떤 존재일까. 저 사람도 본인 판단으로는 이게 최선의 선택이라고 여기는 게 아닐까. 저 사람도 궁극적으로는 사람들에게 인정받고 싶고 사랑받고 싶고 행복하게 살고 싶다는 마음에 그러는 게 아닐까. 그 방식의 적절성을 떠나, 최소한 그 마음 자체는 나와 동일한 게 아닐까.

여전히 싫은 건 싫은 거고 안 맞는 건 안 맞는 거지만, 그래도 조금은 마음의 여유가 생긴다. 아마 누군가도 이런 마음으로 나의 모나고 부족한 점들을 말없이 이해해 주었겠지. 단순하게 나쁜 사람으로만 보지 않고.

군대, 스펙은 안 돼도 스토리는 된다

전역 후 대학교 3학년으로 복학했다. 이제는 취업을 걱정해야 하는 시기였다.

1, 2학년 때 잔뜩 비워놓은 학점을 채워야 했다. 하지만 학점을 메꾼들 그건 이제 기본을 돌아갈 뿐이었고, 추가로 나의 경쟁력을 높일 만한 스펙을 쌓아야 했다.

"나 같은 신입은 어디서 경력을 쌓나?"

한 방송을 통해 유명해진 말이다. 많은 기업이 당장 현업을 할 수 있는 경력자를 구하고 있고, 신입사원을 뽑는 자리에서도 관련 경력을 묻는다. 심지어 스펙을 쌓기 위한 인턴에 합격하기 위해 또 다른 스펙이 필요하다. 이 문은 점점 좁아져 이제는 아르바이트에서조차 이력을 요구한다. 그럼 첫 스펙은 어디서 쌓나?

이제 막 복학한 공대생 3학년. 정규직 취업은 졸업 후의 이야기다. 인턴 자리까지도 생각하지 않았다. 본격적인 업무에 앞서, 일단 전공 수업 외 다양한 활동에 참여하며 자신을 이해하고 시야를 넓히며 여러 사회 경험을 쌓고 싶었다.

그때 알게 된 게 '대외활동'이다. 넓게는 교내 활동이 아닌 그 외 바깥의 모든 활동이 대외활동이라고 볼 수 있다. 다만 많은 대학생들에게 통용되는 의미는 각종 기업이나 기관, 단체 등에서 주최하는 특정한 목적의 참여 활동이다. 서포터즈, 기자단, 봉사단 등이 그 예다. 멀게만 느껴졌던 기업의 실무자들을 만날 수 있고 주최기관의 성격을 이해할 수 있으며, 여러 경험을 쌓으면서 활동 내용에 따라 부수적인 혜택도 얻고, 다양한 학교 및 전공을 가진 열정적인 또래들을 만나며 좋은 자극과 새로운 배움을 얻을 수도 있다.

사실 대학교 1, 2학년 때는 이런 대외활동의 존재를 잘 몰랐다. 시기적인 특성도 있었고, 공학을 전공하는 주위 선후배 및 동기들 역시 대부분 이런 활동과 거리가 있었으며, 일단 나 자체가 학교 밖으로 눈을 돌려 새로운 기회들을 적극적으로 알아보고 참여할 생각 자체를 안 하고 있었기 때문이다.

하지만 군대 안에서 여러 책들과 대학생 대상의 무료 주간지 등을 살펴보면서, 먼 미래와 세계 전체를 볼 것도 없이 당장 대학 생활만 하더라도 내가 아는 게 결코 전부가 아니라는 걸 느낄 수 있었다. 그러면서 막연하게나마 대외활동에 참여해 봐야겠다는 생각을 했었고, 전역 후 복학을 하면서 실제로 하나둘씩 알아보기 시작했다.

내 열정이나 부푼 마음과 달리, 대외활동이라고 해서 아무나 뽑아주는 게 아니었다. 이 대외활동조차 까다로운 기준과 경쟁의 연속이었다. 도대체 뭐부터 써야 할지 모르겠는 자기소개서와 빈칸투성이인 이력서를 보며, 면접은 둘째 치고 당장의 서류 지원조차 어떻게 해야 할지 막막했다. 이제 막 전역한 나로서는 특별한 이력도, 스펙도 아무것도 없었기 때문이다.

그렇다면 나는 아무런 시작도 하지 못했을까.

아니다. 나에게는 든든한 밑천이 있었고 이를 바탕으로 국내 유명 출판사에서 주최하는 대외활동을 참가할 수 있었다. 이를 시작으로 다양한 기업의 활동에 연달아 참여하는 것은 물론, 몇 차례 인턴 활동도 했고, 해외봉사단이나 글로벌 프로그램에 합격해 인생 처음으로 비행기를 타기도 했다.

이러한 시작을 끊어준 나의 밑천은 군대 경험이었다. 스펙이라고 내세울 건 없지만, 대대장과 면담 후 이등병 때부터 5개월간 50권의 책 읽기 목표를 세우고 이를 달성했던 경험이 있었다. 덕분에 독서왕이라는 타이틀과 함께 표창장을 받았다. 군 생활 동안 기록한 100권 이상의 독서 목록이 있었고, 이를 통해 드러낼 수 있는 나의 열정, 책에 대한 관심, 독서하는 습관 등이 있었다. 대대장에게 받은 표창장 자체가 사회에서 통할 객관적인 스펙은 되지 않지만, 이 과정에서 드러나는 나의 삶은 하나의 스토리가 되었다. 그리고 그 스토리는 내가 사회에서 새로운 기회를 얻을 수 있도록 도와주는 무형의 자산으로 작용했다. 자기소개서와 면접 모두에서 내가 타인과 다르게 구별될 수 있도록, 호기심과 매력을 느낄 수 있도록 해주었기 때문이다.

아, 그리고 이와 별개로 운도 좋았는데, 당시 출판사에 지원할 때 미션이 '해당 출판사의 책 한 권을 읽고 리뷰를 작성해 제출하기'였다. 그런데 해당 도서 목록 중 한 권이, 마침 군대에서 장교에게 빌려서 읽었던 책이었다. 어느 정도 내용을 기억하고 있던 터라, 한번 훑어보는 것만으로도 떠오르는 것들이 있었고, 덕분에 생각보다 쉽고 빠르게 도서 리뷰를 작성해 제출할 수 있었다. 지원 기간동안 급하게 책 한 권을 읽고 리뷰를 써야 하는 다른 분들에 비해 말이다.

내가 열심히 한 행위들이 하나의 씨앗이 되어, 작든 크든 이렇게 열매로 돌아올 줄은 과거의 나는 전혀 알지 못했다.

자격증, 대외활동, 학점, 인턴, 어학연수, 외국어 시험점수
…

취업을 위해 해야 할 것들이 너무 많은 요즘이다. 대학에 입학하는 순간부터 자신의 스펙을 쌓기 위해 바쁘다. 동아리조차도 취업에 도움이 되는, 스펙으로써 활용할 수 있는 곳에만 학생들이 몰린다. 과거, 청년들의 캠퍼스 낭만이었던 곳이 이제는 함께 스펙을 쌓아가기 위한 성과 중심의 스터디가 되어 가고 있다.

이런 분위기는 군대에서도 마찬가지다. 어차피 똑같은 기간을 복무해야 한다면, 이왕이면 취업할 때 하나의 경력처럼 활용할 수 있는 곳이 어딜까를 생각하게 된다. 군 생활까지도 하나의 스펙이 되어버린 것이다.

당사자의 입장에서는 어쩔 수가 없다. 나 역시 마찬가지였다. 안타까운 건 현실이다. 많은 사람들이 원하는 근무지 혹은 주특기에는 인원이 한정돼 있다. 게다가 경쟁률도 높다. 누군가는 자신이 원하는 곳에서 군 생활을 할 수 있겠지만,

대다수는 자신이 원하지 않은 곳에서, 심지어 생각도 못 한 곳에서 군 생활을 해야 한다. 카투사에 지원했다가 떨어지고 특기병엔 지원조차 못했으며, 원하지 않는 임무를 맡아 하필 여기만은 아니었으면 했던 전방 시골의 포병부대로 떨어진 나처럼 말이다.

훈련과 검열은 엄청나게 많은 곳이었지만 취업 시 하나의 경력이나 스펙으로 작용할 리가 없다고 생각했다. 내가 아무리 부대에서 인정받는다고 한들 사회에서는 그냥 누구나 뻔히 하는 평범한 군 생활에 불과하리라 생각했다. 실제 취업준비생 생활을 해보고, 취업에 실패와 성공 모두 겪어 보고, 이후 창업까지 해보니 어느 정도 맞는 사실이었다.

하지만 당시에는 몰랐던 사실이 있다. 당장 취업에 도움이 되는 화려한 스펙은 안 될지라도, 나의 고유한 특성을 드러내고 때로는 타인과 공감과 위로를 나눌 수 있는 스토리는 될 수 있다는 것이다.

이발병, 영상작업병, 태권도 조교, 장병 기본권 상담병, 그 외 군이 이야기를 담지 않은 또 다른 역할들까지…. 군 생활 동안 주특기 외에도 1인 N개의 다양한 역할을 수행했다. 직접적으로 미용, 영상 편집, 태권도 등의 분야에 취업한 적은 없지만, 분야와 상관없이 이런 나의 스토리는 적극성, 능동적인 태도, 주인의식을 보여주는 역할을 해주었다.

군 생활 동안 6권의 수첩에 매일 기록을 남긴 스토리는 꼼꼼함과 성실성을 보여주었고, 전역할 때까지 읽은 104권의 책은 자기계발에 힘쓰며 성장하는 습관을, 부대 내에 연등하는 문화와 공부동아리를 만든 스토리는 조직에 미치는 긍정적인 영향을 보여주는 역할로 활용될 수 있었다.

내 모든 경험 하나하나가 전부 스펙으로 작용할 수는 없다. 하지만 이런 경험들이 하나둘씩 모인다면, 그리고 그 경험들이 재해석된다면 스펙 이상으로 작용할 수도 있는 스토리가 된다. 당시에는 몰랐지만, 천편일률적인 스펙 싸움에서 때로는 스토리가 더 빛을 발하더라. 그 사람의 고유한 성질과 진심이 드러나기 때문이다.

군대에서의 길다면 길고 짧다면 짧은 시간. 누군가는 그냥 시간 때우기로 보낼 수도 있다. 하지만 누군가는 어떤 환경에 처하든 자기 인생의 주인공으로서 최선을 다하며 긍정적인 변화를 만들어 나갈 수도 있다.

이왕이면 후자의 삶을 선택해 보길 권한다. 이건 군인으로서 국가와 민족을 위한 일이기도 하겠지만, 난 무엇보다도 본인의 소중한 삶을 위해서라고 말하고 싶다.

에필로그

오늘도 부대 안에서 고생하는, 그리고 그런 그들을 바라보며 마음을 쓰고 있는 사람들이 많다. 이 모두가 있기에 우리 사회가 돌아가고 있다.

무언가 많은 말을 하고 싶지만, 막상 말하고자 하니 딱히 더 할 말이 있을까 싶다. 그런 이유에서, 다음의 글과 함께 간략히 책을 마친다.

"오늘도 수고 많으십니다. 덕분에 마냥 편하지만은 않지만, 그래도 안전하게는 글을 쓰고 있습니다. 각자의 위치에서 제 몫을 해주셔서, 그리고 제 책을 잘 읽어주셔서 감사드리며, 모두 안녕하시길 기원합니다."

이상 원고 끝.

이태화